BIBLIOTECA ERA

Consejo Nacional
para la
Cultura y las Artes

José Ramón Ruisánchez

Nada cruel

José Ramón Ruisánchez

Nada cruel

EDICIONES ERA

Consejo Nacional
para la
Cultura y las Artes

Parte de esta novela fue escrita gracias a una beca del
Fondo Nacional para la Cultura y las Artes.

Coedición: Ediciones Era / Consejo Nacional para la Cultura y las Artes,
Dirección General de Publicaciones

Primera edición: 2008
ISBN-10: 968.411.704.3 (Era)
ISBN-13: 978.968.411.704.4 (Era)
ISBN-10: 970.35.1525.8 (CNCA)
ISBN-13: 978.970.35.1525.7 (CNCA)

DR © 2008, Ediciones Era, S.A. de C.V.
Calle del Trabajo 31, 14269 México, D.F.
Impreso y hecho en México
Printed and made in Mexico

www.edicionesera.com.mx

No hablamos de nada cruel.
Quizá no comprenden.
Antón Arrufat

Siempre dije que sí.

Puedo ver las escaleras más largas del mundo. Ascienden eléctricamente, lentamente, emergen por el otro lado, interminablemente. Veo las escaleras y su tiempo capturado. Veo las escaleras y sus tribus nómadas. Suben y miran a quienes bajan mirándolos. Unos caminan y otros se dejan llevar. Mecánicamente. Puedo ver, en las escaleras, dos cuerpos abrazados. No se sueltan. Como dos amantes. Suben abrazados. Como dos hermanos. No se besan. No miran si los están mirando. Abrazados. Dos cuerpos.

Salvo una vez, siempre dije que sí. Nunca pedía nada.

Puedo ver flores. Son azules y despuntan entre la última nieve.

Siempre siempre siempre dije que sí. Todos me amaban.

Puedo oír las campanas de un carillón anunciando que pronto va a dar la hora. El carillón está en la torre de una iglesia, los árboles y sus ramas con hojas nuevas ocultan el reloj. Es de día y el cielo está intensamente despejado. Hace mucho frío. En el aire nítido puedo oír las campanas de un carillón anunciando que pronto va a ser la hora. La hora a la que se encuentran.

Venían y me desanudaban una agujeta o me rozaban la oreja o jugaban con la punta de mi almohada. Y yo sonreía, dejaba pasar un tiempito, les servía algo de comer, les decía que sí. O me callaba como uno debe callar para ofrecerse. Besaba a todos, a todos les hacía el amor. Me querían más las mujeres que los hombres pero también quise a los hombres que me quisieron. Siempre dije que sí.

Puedo ver un bastón. De madera fina. Caoba. La empuñadura es de plata y está rematada por un anillo grueso. Más grueso. Caben en él los cinco dedos de tu mano.

O casi siempre. Mi vida se ha terminado porque siempre decía que sí y una vez dije no. Ya no dije siempre que sí, y cuando no dije que sí vino la muerte cobarde, putetera, rondañosa, medrosera, excavadora, soslayada, alfeizarina, alfileruda, lamedora, zigzaguda, reptante, lubricada, ladina, grietera, silenciosa; invencible.

Veo un bastón. Enterrándose en la nieve, un bastón.

Yo decía que sí.

Veo al muchacho sentado en un escalón. De espaldas. Trae puesta una chamarra roja rellena de plumas, un pantalón azul y botas de suela gruesa. En el aire brilla nítido el sol de invierno. Veo la espalda del muchacho.

A la muerte, si hubiera venido con su nombre en la frente, con su mirada violeta, con sus ojeras, la hubiera dejado peinarme, desabrochar mi camisa, quitarse el frío en mis axilas, acercar mi boca a su ombligo y decir sus palabras de sal; le hubiera puesto queso de ceniza en pan de lava, le hubiera contado la historia de mi abuelo volando sobre Madrid, la hubiera protegido del Santo.

Veo a la muchacha por el marco que forman el hombro y la cabeza del muchacho. Usa pantalones azules y un suéter de lana blanca con dibujos negros y grises. Su pelo es muy rubio y algo en ella brilla. En el aire nítido la muchacha camina rápidamente hacia el muchacho. ¿Los ves?

Le hubiera dicho que sí.

Me gusta cómo el muchacho se despereza cuando ve a la muchacha. Cómo se le acerca corriendo y le besa la nariz y las orejas y los ojos y la boca. Largamente la boca.

Porque siempre dije que sí. Yo era hermoso porque en la cara me leías que te iba a decir que sí, siempre que sí, y todos me amaban. Hasta que una vez dije no.

Veo un bastón de madera obscura. Antiguo y muy bien cuidado. El trabajo es fino, el barniz reciente, las dos puntas de plata.

Y vino la muerte.

Me gusta cómo la muchacha se deja despegar del suelo y trepa al muchacho, cómo lo rodea con las piernas y mete sus manos bajo la chamarra roja y excava la ropa hasta llegar a la piel mientras el muchacho la besa.

No soy mi hermano. Yo no sé escribir. Yo me quedaba y decía que sí. Llamaban a la puerta y decía que sí; los dejaba entrar, los dejaba sentarse en los sillones, les ponía una película, los abrazaba uno por uno, les masajeaba los pies, les elogiaba la risa, les decía que sí. Yo soy el que no es mi hermano y sólo puedo decir que sí. Contestaba el teléfono y charlaba cortas horas con quienes querían que los oyera, los invitaba a venir, los esperaba con felicidad y bebiendo un whisky.

¿Los ves? ¿Puedes verlos?

Dije que digo que sí y ya no es verdad. Dije no y vino la muerte. No la muerte de siempre. Vino la otra, la muerte de mosquita muerta, de zancadilla, la enamorada de las nucas y de las espaldas, del sueño tranquilo; la muerte de humo, la de ciempiés con zapatillas silenciosas. Vino porque yo decía que sí y una vez fallé: necesitaba un castigo. Vino la muerte y no preguntó. Dijo que sí.

En la mano izquierda de la muchacha hay una alianza de oro.
En la mano izquierda del muchacho hay una alianza de oro.
  —En la mano izquierda del muchacho que fuiste, Santiago.

Habíamos ido a cenar los cuatro, los cuatro de siempre, al lugar que nos gustaba. Yo en esa época hablaba de microciudades; de los pequeños circuitos que escoges y por eso te encuentras a la misma gente en un lugar donde viven millones de personas. Ellos en el deli. Nosotros en el tailandés. Los cuatro juntos en el chino.

A Miguel le gustaba más mi manera de comer que mis teorías. A Ana no le hacían ilusión nuestras cenas pero consentía por consentirme.

–No hablas conmigo y a tus amigos los aburro.

–No los aburres.

–No he leído sus libros ni conozco a la gente de la que hablan.

A Kay le gustaban mis teorías.

–Entonces te pasas media cena explicándole mamadas mientras Miguel me cuenta de sus amigos mexicanos.

–Pero Miguel es divertido con su mala leche ¿no?

–Es divertido si los conoces, si fuiste a la escuela con ellos.

–A mí me divierte cuando me cuentas de tus amigas de la prepa, esas born again virgins y del queso para pobres.

–Está bien, te merecías esta cena por haber sido bonito con mi papá.

–¿Aunque hayamos hablado mucho de México?

–Sí, pero me vas a tener que hacer masaje.

–¿Clitorial?

—Eres un puerco.

—Me gusta ser un puerco.

—Pues dice Miguel que ya no vas a ser.

—¿Qué, me va a mandar a una escuela de modales?

Para Ana lo mejor de las cenas era regresar muy tarde en el auto, chismeando. Decía que mi manera de ser como niña y chismear era magnífica.

—¿Viste cómo te seguían con la mirada cuando te levantaste al baño enana?

—Qué iba a ver si me estaba haciendo pipí San Bobo.

—No tienes idea.

—Pero Kay también se levantó.

—¿Y tú a quién crees que veían?

Kay y Miguel nos llevaban ocho años.

—A mí nueve, no te hagas, pinche ruco.

Ana decía pinche ruco porque yo le había enseñado, decía cabrón, mentaba madres y de vez en cuando intentaba pintar cremas del modo más conmovedor. Una vez llegué a la casa y estaba hablando por teléfono en español. Me senté a su lado, creyendo que la llamada era para mí. Pero colgó sin haberme pasado nunca el aparato. Era Kay.

—¿Y ya se les olvidó el inglés?

—Deja de chingar.

Le gustaba que chismeáramos después de las fiestas, después de las clases, después de que nos encontrábamos a alguien en las calles de nuestra microciudad.

—Oye pero ése no es el esposo.

—No, con ése bailó en la fiesta del Centro Latinoamericano.

—Ay cabrón.

—Ay cabrón indeed.

Ana no sólo era joven y hermosa. Además brillaba. Miguel me había dicho una tarde que me iban a aplaudir en el aeropuerto cuando la llevara.

–Tenías que haberlos visto cuando regresaste del baño: los güeyes dejaron de comer.

–Siempre exageras San Bobo.

–No, no exagero, un día me van a matar por ti.

–Pues entonces aprovéchame mientras me tienes.

–Vas a ver la aprovechada que te pongo.

–Promises promises.

Ana era muy alta y muy delgada; deportista. Deportista de verdad. Había ido a la universidad con una beca de salto de altura y había quedado en segundo lugar estatal dos años seguidos.

–La que ganó fue a las olimpiadas ¿sabes?

Su padre tenía muchas fotos de Ana en el aire. Volando. Con el pelo rubio recogido bajo una capucha morada que era parte del uniforme.

–Esta vez no me parecieron tan buenas las eggplants.

–Berenjenas.

–Estaban muy amargas ¿no?

–Güey, la soya.

Habíamos ido los cuatro al lugar de siempre, el chino, y se nos había olvidado comprar una lata de soya en la tiendita del restaurante.

–¿Quieres que vaya por una kikoman al súper?

–No.

–¿Pero entonces cómo vas a marinar el tofu?

–Voy contigo.

En la casa comíamos sopas de verdad que preparábamos con las recetas del libro de cocina que Ana había heredado de su madre, comíamos lentejas y garbanzos que yo cocinaba como me había enseñado mi abuelo, comíamos ensaladas e infinitas variaciones sobre el tema de la pasta, comíamos tacos y enchiladas de todo tipo, comíamos el pan impredecible de nuestra maquinita, comíamos salmón que su padre pescaba en Alaska y ahumaba en su jardín y nos mandaba por mensajería, comíamos arroz hindú, farsi, brasileño, cubano que Ana había aprendido a hacer con sus diferentes roommates, comíamos las recetas que Julia Childs hacía en televisión, comíamos frutas con queso menonita.

—¿Conoces a ese Lucio?

—Lo he visto algunas veces, más bien es de la generación de Miguel.

—Sí, me sonó a que eran muy amigos.

—¿El Atlante o el León?

Me gustaba cambiar los nombres de las cosas, ponerlos no sólo en español sino en el código de mi vida pasada.

—¿Me vas a llevar a tu microciudad?

—Sí.

Pero no la había llevado. Después de ir a Salem, nos habíamos encontrado con los boletos casi regalados a París y luego su padre nos invitó a Alaska.

—¿Siempre pescaste con él?

—Empecé cuando se murió mi mamá.

—Creí que pescar era un club de Tobi.

—¿Qué es un club de Tobi?

Acabamos yendo al Giant que era el Gigante, mucho más lejos pero mejor iluminado.

—Sobre todo con esa falda.

—Que tú me regalaste así que no te quejes.

—¿Quieres helado?

Nos gustaba comer helado desnudos, tras hacer el amor, en la cama. Nos gustaba cuidar plantas, mirar a Julia Childs en la televisión y comer helado desnudos. Nos había gustado conversar metidos en esa bañera a la intemperie, bajo la noche de Alaska.

—Hasta se me olvidó que somos pobres.

—No somos tan pobres enana, recuerda que soy un rico heredero.

Nos gustaba nuestra vida.

—¿Hay de ese southern pecan del otro día?

—¿Qué marca era, la loma del guajolote?

—No, la loma del orto.

Decíamos orto porque nos lo había enseñado el argentino Federico y up in the boonies porque le recordaba a su mamá y átimo porque los dos estábamos tratando de aprender italiano con la misma maestra que cuando no te podía atender te hacía aguardare un attimo.

Cenábamos los cuatro y a Miguel le divertía que le contáramos una historia entre los dos mientras Kay decidía los platillos por todos.

—Pero no nos vayas a escribir en tu libro, cabrón.

—Yo ya advertí pana, lo único que prometo es no poner ningún nombre verdadero.

—Entonces por lo menos deberías invitarnos la cuenta.

Nunca la pagaban, aunque muchas veces dejaban toda la propina.

—Ana chupa mucho menos que nosotros.

—Sí y casi no come.

Y en comparación así era. Incluso yo comía menos que ellos.

—¿Sabes que me molesta ese comentario?

—Pues diles que te molesta.

—No puedo.

—Yo les pedí que no me preguntaran de Raúl.

—Me acuerdo, pero hoy lo mencionaron.

—Sí, porque conoce a Lucio.

—Ya cállate.

—Ponte bocabajo enana ¿prefieres el aceite de vainilla?

Me acordaba de la plaza bien llovida donde Lucio había dicho Eso es amor. Mi amiga Lilia acababa de contarme su enfermedad incurable y me había puesto en el meñique de la mano izquierda el anillo de plata que ella usaba en el anular de la derecha. No era amor. Era una despedida. Yo estaba a punto

17

de irme al doctorado. Tenía la carta de aceptación y el teléfono de Kay y de Miguel.

Llegando, me invitaron al deli, me instalaron en su ático y durante varios días estuvieron acompañándome a ver departamentos.

—No Santiago, eso es Tepito.

—Órale ¿y éste de dos recámaras?

—Peor, eso es Chalco.

—Órale.

—Mira mi querido Santiago, mejor sigue buscando, a nosotros no nos incomodas.

—Gracias Kay.

Durante esa temporada nos acostumbramos a platicar de noche. Claro, era la mejor colita del verano. Salíamos al jardín con café y ellos me describían las clases y los profesores mientras yo les contaba las novedades en México.

—¿Y Raúl?

—Mal.

—Eso sabíamos.

—Prefiero no hablar mucho de él.

—Bueno, si se comunica dile que le mandamos saludos.

—De su parte.

Mucho tiempo después, cuando ya había encontrado el antiguo consultorio dental en medio del jardín, cuando ya Ana se había mudado conmigo, cuando comenzamos a ir los cuatro al chino, me confesaron cómo durante esa temporada que viví en su casa hacían bromas entre ellos.

—Ya ves, hubiéramos traído mejor a Lucio.

Porque Lucio tenía buen humor y en cambio yo había llegado arrastrando hondura.

—No te creo Santini, en clase no se te notaba hondura, como dices.

—¿Tú crees que sea normal tirarte a la yugular de todo mundo?

–Aquí sí.

–Coño, entonces en lugar de enfant terrible resulté un alumno modelo.

–Eres un bobo, eso es lo que eres.

Me decía bobo, me decía Santini, me decía corazón de melón, me decía San Bobo, para joder me decía honeybun. Y yo le decía enana, le decía Nan, le decía zopenca, le decía melonheart cuando ella me decía corazón de melón. Nos reíamos mucho, tomábamos mucho té y leíamos tirados en la cama, juntos, interrumpiéndonos a cada rato.

–Oye, Jameson sí pone however al principio de sus oraciones.

–Y Miguel usa empero en Cielo.

–¿Te cae?

–Puedo enseñarte, tengo marcada la página.

–Te creo enana, no te vayas.

–Igual hay que ponerle más agua a la feijoada.

–Voy contigo.

Y pasábamos de agregar agua, a preparar té, a poner unos panes a tostar, a los besos en la cocina, a fajar sobre la mesa del comedor, a coger en el suelo.

–¿Sabes por qué no me gusta mucho cenar con tus amigos?

–Dime.

–Se les nota que nunca hacen el amor.

–¿Dónde se les nota?

–Puta ya se evaporó toda el agua.

Nos gustaba adivinar quién era feliz y quién infeliz, quién se iba a quedar después de la maestría, qué parejas iban a sobrevivir.

–¿Dónde se les nota?

–No sé, en cómo van cenar.

–Si nosotros vamos igual.

–No, no es igual.

–Explícame.

A veces se le acababa el español y se enojaba. Otras veces se le acababa el español porque se enojaba. Y me preguntaba:

–Why must we speak Spanish?

–Because you chose to, on peut parler français.

–¿Yo escogí?

–Sí ¿quieres que te lo cuente?

Nos contábamos todo, lo que nos había sucedido y lo que les sucedía a los demás.

–Cuéntame tu clase de hoy zopenca.

–¿Para qué bobo?

–Para saber por qué tus alumnos querían quedarse más tiempo.

–Les estaba diciendo cómo es viajar en un camión de redilas durante catorce horas de nevada andina.

–Superwoman strikes again.

Nos contábamos todo. O casi todo.

–Se le olvidaron los tampones a Kay.

–Justo eso quería saber.

Casi todo.

–Dice Miguel que seguro Lucio va a acabar tirándose a Josefina.

–Pero a mí Kay me dijo que lleva años con su novia.

–Yo creo que en esto hay que hacerle caso a Miguel.

–¿Quieres que apague ya?

–Bueno.

–Ay cabrón, a ver si no se lo victima la bailadora.

–Dice Miguel que sí.

–La bailadora y Josefina; ya debería aprovechar la promoción y echarse a la doctora Lopa de una vez.

–No jodas a Lopa o te reviento San Bobo.

Decíamos te reviento por los argentinos, pana porque a Miguel últimamente le había dado por hablar venezolano, decíamos deja mi luz en paz porque habíamos oído un pedazo de pelea en el metro y nos lo habíamos robado, decíamos cabrón indeed, slutona y lameggs porque nos alegraba jugar con las lenguas, mezclarlas, construirnos una manera íntima de hablar.

–Por cierto me dijo Lopa que lo de la Justusson era pura piña, que nunca había estado casada con ningún peruano.

–Pero nos lo dijo en clase ¿no te acuerdas?

A veces se quedaba dormida o me quedaba dormido yo a media conversación. No importaba.

Además de la microciudad que compartíamos, teníamos otra sólo nuestra: la carretera estrecha de las hojas de otoño, el tailandés, el pequeño jardín de esculturas con la esfera rota de acero cromado que me daba miedo porque adentro podía verse la maquinaria del mundo, el paseo para bicicletas junto al río, la bodega obscura repleta de viejos libros que olían a espliego, el café donde me daba por contar teorías y donde nos sentíamos genios o sabios o idiotas irremediables, según el día.

No siempre éramos optimistas. No siempre estábamos felices. Pero aprendí rápido su tristeza y Ana supo consolarme siempre. Una noche al mes, la luna llena no nos dejaba dormir y sin ponernos de acuerdo nos preguntábamos lo imposible, lo doloroso.

–¿Fue muy difícil lo de tu mamá?

–Yo te voy a cuidar Santini, cuando te toque yo te voy a curar.

–Vas a tener que llevar mi luto.

–¿Crees que no sabía?

–No, no sabes.

–Ven, abrázame, ponme las manos aquí; no, más abajo, más, ahí ahí.

Ana tenía algo con sus grupos. Entendían y se portaban maravillosos, con orgullo de ser cómplices. Los míos no. Yo llegaba jodido, sin bañarme y a ellos justo esa mañana se les ocurría no entender el subjuntivo. Si yo hubiera dormido. Si ustedes hubiesen estudiado.

21

Kay y Miguel enseñaban cursos avanzados.

–Es peor pana porque en lugar de un renglón mal escrito tienes que corregir cinco cuartillas.

–No le creas mi querido Santiago, ya los que toman esos cursos son majors y están mucho más comprometidos.

Tampoco de la escuela le gustaba hablar con ellos.

–Kay no sabe chismear, cree que va en contra de la ética profesional o no sé qué.

–¿Te cae?

–¿No te has dado cuenta que nunca nos pide que la reemplacemos?

–Yo creí que era porque nos quería.

Por lo menos una noche al mes (nunca con luna llena) cenábamos los cuatro juntos, siempre en el chino del que Kweelen se burlaba porque no era chino de verdad. De regreso Ana se quejaba.

–No voy a ser así.

–No eres así.

–Kay volvió a decir que le recordábamos a cuando ellos se acababan de casar.

–Eran de la misma edad que nosotros pero nunca fueron tan bonitos.

–Las gemelas son lindas.

A las gemelas las cuidaba la hermana de Kay. Miguel le decía mi cuñada y Kay, Sam. Nunca la habíamos visto. Salvo en una foto donde salía con un vestido blanco, mucho escote y los pelos color trigo alborotados en un estilo como de Salem in the middle eighties.

–Pues yo lo vi mucho cuando fuimos.

–Es que en Salem nunca han dejado de ser los middle eighties.

–Como lo demuestra tu tía.

–Deja en paz a mi tía o te reviento.

–Nomás es por joder, sabes que me cae bien.

–Santini ¿de verdad te irías a vivir a Oregon?

–De verdad Ana.

Nos gustaba el futuro. Hablábamos del trabajo que íbamos a tener y de nuestra casa y de cómo íbamos a poder comprar muchos libros y viajar y tener un juego de sartenes de hierro forjado.

–Yo te voy a cocinar mientras das tus clases de profesora estrella.

–Sabes que tú vas a ser el full professor; cuando la Justusson nos dijo que los teóricos eran la élite te estaba viendo a ti.

–El fool professor. Me estaba viendo a mí porque yo era el único que había leído a Butler pero ¿al final a quién le puso los comentarios más lindos en su trabajo?

–El trabajo que tú planeaste.

–Pero tú lo escribiste enana.

Hablábamos del futuro juntos y con su padre y con Miguel y Kay cuando cenábamos.

–Imagínate en una lechería pana.

–No es tan terrible mi querido Santiago; yo crecí en una lechería y la verdad era bastante divertido como niña.

–¿Sí se irían?

–Yo creo que hay que empezar ahí.

–A mí me dan miedo, tengo familia en Idaho y la verdad no quiero ir a dar clases de los Andes a los hijos de los white supremacists.

–Pero todos comen papas ¿no melonheart?

–No es chistoso Santini, seguro te pegarían un tiro.

–Claro pana, ahí tú y yo somos los negros.

–Pues aquí también ¿no?

–No mi querido Santiago, no.

–Bueno melonheart, pues entonces apúrate para que nos contrate Berkeley.

Nos había dolido Berkeley cuando fuimos a la conferencia de estudiantes de literatura. Habíamos caminado por San

Francisco y por Sausalito, yo había neceado en conocer Oakland, habíamos ido a cenar a un restaurante chino mucho más caro que el chino al que íbamos con Miguel y Kay, habíamos escogido como veinte casitas hermosas, con ventanas abiertas a la curiosidad de la niebla, ventanas tras de las que descubrimos flores y libreros y salas acogedoras, ventanas amplias que dejaban ver un escritorio, o una recámara; vidas posibles.

–Nel pana, nosotros queremos quedarnos de este lado.

–Claro.

–Aunque a veces le hemos coqueteado a la idea de México.

–Yo México no.

Y Ana sorteó mi suéter para disiparme el escalofrío de la espalda. Muchas veces sabía cuidarme los miedos mejor que yo. Y le decía gracias y ella me miraba sin bajar los ojos, sin mover ni un poco las pupilas, sin decir nada.

–Acabas de salvarme amor.

Sin mover nada.

–Pídeme lo que quieras.

–Dame el anillo.

–No puedo. No es mío.

Pocas veces peleábamos y creo que sólo puedo recordar una vez por celos. Discutíamos poco. Ana tenía miedo de la violencia y a veces creo que sobre todo tenía miedo de su propia violencia. Una vez le había lanzado una jabalina al entrenador de su hermano. Se llamaba Daniel pero ella le decía Mi hermano y yo le decía Tu hermano. Daniel, su hermano, no había querido venir a Alaska cuando su padre nos invitó, y nunca nos había visitado. En Salem jamás nos invitó a su casa.

–Le da pena su tráiler y su novia y su perro Drop porque nunca en su vida lo ha bañado.

La noche que cenamos con Daniel, en un italiano oscuro y buenísimo, sin su novia, le pregunté del entrenador.

—También era maestro de historia. Decía que el viaje a la luna era mentira. Trató de joderme por mi mamá Santiago.

—Lo hacía correr demasiado Santini.

—Para mí casi cualquier ejercicio era demasiado. En el invierno me gustaba nadar pero sobre todo para ver cómo caía la nieve tras los enormes ventanales que resguardaban la alberca cubierta. Iba solo y nadaba para luego contarle a Ana.

—Hoy di dos vueltas más.

—¿Estás metiendo la mano con el pulgar primero?

—Yes couch.

—Coach San Bobo.

—¿Roach?

—A veces sí de verdad creo eso que dice Kweelen que ciertos cosas te hacen más tonto o más listo.

—¿Hablaste con ella?

—Nunca hablo con ella, tú me lo contaste bobo.

Algunos amigos eran sólo mis amigos y otros sólo suyos. Pero había una diferencia. Yo quería ver a mis amigos y ella prefería guardarse.

—¿No vamos a ver a las farsis?

—No tengo ganas.

—Pero es un cumpleaños.

—Mejor sacamos una película y pedimos pizza y celebramos aquí.

—Ay Nan qué cabroncita eres.

—Si quieres ve tú.

—¿Con las farsis? pero si son tus amigas.

Había diferencias porque yo veía a Kweelen a solas y podía ir a casa de Miguel y Kay si ella tenía clases hasta tarde. Retomábamos las pláticas con café en el jardín o en la cocina cuando el clima dejaba de ser hermoso.

—¿No extrañas a las subgraduatas?

—A veces pero la última vez que las vimos me parecieron rependejas.

Decía rependejas, decía meslemasle, decía boner, decía plenazo y yo no supe nunca de dónde salieron esas palabras. Seguramente de ciudades pasadas que no compartimos y que todavía no me contaba.

–A ver enana, te parecen rependejas pero Kay y Miguel te dan hueva por rucos, por sofisticados, porque saben demasiado. Explícame entonces.

–Ya Santini, el problema es/

–Es que te estás volviendo una intelectual.

No le gustaba que la interrumpiera, no le gustaba pensar que era una intelectual, que era una señora, no le gustaba decirme esposo y la vez que le pregunté ¿Por qué dices mi hermano en lugar de Daniel?, lloró muchísimo y fue a nuestro cuarto y luego corrió hasta el final del jardín enorme y de un puñetazo deshizo la capa de hielo que cubría el pequeño estanque donde venían a beber los mapaches y los conejos y las zarigüeyas.

El anillo.

–Perdón.

–Perdóname tú Ana.

Sabíamos perdonarnos por completo. Pero cuando dejó de hacer tanto frío y busqué el anillo por el fondo del estanque no lo hallé, y algo se quedó abierto. Una herida.

De noche, las noches de las tardes que tomábamos demasiado earl grey con leche y canela y unos granos de pimienta, las noches en que Ana se iba y yo me quedaba tratando de entender qué querría decir pliegue o huella o por qué los suplementos eran peligrosos, la herida brillaba, tenue, como una luciérnaga muerta de frío.

–¿Puedes apagarla Ana? –le dije cuando me vino la fiebre de finales– Cúrame Ana.

Le dije pero no le expliqué después.

–¿Qué se siente cuando vas volando y tiras la barra?

La muchacha tiene los brazos cubiertos del más delicado ve-
llo. Sólo podía vérselo cuando la tocaba.

Al muchacho le gusta su nariz porque su nariz no es perfecta.
Tiene que levantar la barbilla si quiere que parezca perfecta.
Y no levanta la barbilla.

Su pelo es demasiado largo, dice. Demasiado largo para una
doctora en letras. Voy a tener que subir treinta kilos y volver-
me fea para que me aprueben. Pero cuando va a cortárselo,
acaba siempre igual. Con el pelo muy largo, que huele a man-
zanilla, que desde muy lejos refleja la luz y es un barómetro
maravilloso.

En la corva de la pierna izquierda tiene un lunar. Nadie se lo
había mostrado. Nadie se lo había besado. El muchacho le
muestra ese lunar. Además tiene otros lunares. En la espalda,
cinco. En el hombro derecho, dos. En el izquierdo, uno. Y otro
sobre el brazo. Lo sabe porque hay un archivo de su piel. En
el archivo están sus lunares y la medida de sus lunares. Pero
ni siquiera en el archivo del dermatólogo aparece el lunar del
muchacho.

Los pies de la muchacha son largos y ciegos como peces de
agua profunda.

Hay algo turbador en su torso desnudo. Tiene los senos pequeños, el ombligo muy largo, muy estrecho, y un abdomen que es como una lección de anatomía. Todo junto es demasiado perfecto.

Casi sería mejor si tuviera pelos en los pezones o un poco de panza o si oliera a coliflor.

Tiene esos dientes grandes y fuertes y muy blancos que dan un poco de miedo cuando no eres gringo. Sonríe cálidamente pero en las fotografías sus dientes asustan. Quizá porque en las fotografías siempre sale con los ojitos rojos.

Y vuela.

–Después me vas a decir cómo es el muchacho.
–No, eso me lo vas a decir tú, Kweelen.

Pero te podrías haber ido a otro lugar.

–Me podría haber ido casi a cualquier lugar.

–¿Entonces?

–Aquí da clases Martín Romaña.

–¿Tu amigo mexicano?

–Peruano, y no es mi amigo, sólo es amigo de José Miguel Oviedo y Julio Ortega y Blanca Varela, a lo mejor también de Vargas Llosa.

Almorzaba con Kweelen. Casi nunca hablábamos del día a día.

–Sólo conozco a Vargas Llosa: escribió sobre una cabra.

–No tienes por qué conocerlos Kweelen; no tienes por qué conocer a Martín Romaña.

–¿Pero viniste porque estaba aquí?

–Se queda seis meses al año: le gustan la nieve y las flores azules que salen en primavera.

–¿Cómo se llaman las flores azules?

–No sé.

–Deberías educarte en los nombres de las flores.

Hablábamos de nosotros o más bien de mí.

–Voy a ser un viejito que tenga un tú-y-yo, una chimenea, las obras completas de Balzac y muchos herbarios hermosos.

–No sé qué es un tú-y-yo.

–Es un sillón que tiene esta forma.

Ella era muy inteligente y a veces muy tonta. Otras me parecía que era muy inteligente y muy tonta, o muy inteligente porque era muy tonta.

—¿Por qué me cuentas todo?

—Porque tú no me dices nada.

—Pero te quiero mucho.

—Y yo a ti.

—¿Me quieres contar por qué te fuiste?

¿Por qué me fui de México?

—Podría decir que porque no hay empleos, porque te suben a un auto y te roban tu dinero y te bajan del auto pero antes te rompen la cara si no traes suficiente, porque después de eso vas a denunciar el asalto y te piden dinero para levantar el acta.

—Pero no es toda la verdad.

—¿Cómo es tu vida Kweelen?

—Supongo que comparada con lo que me cuentas, aburrida.

—¿Aburrida cómo?

—Leo para la escuela, preparo mis clases, pienso que no me quiero casar porque los esposos duermen dándose la espalda, escribo mis papers con mucho esmero.

—¿Te sigue afectando lo de Inglés 101?

—Igual que los alimentos irritantes: estoy mejor si lo evito.

—Yo evito México.

—No evitas México, evitas algo en México y me acabas de decir que no es la violencia.

—Ni la contaminación ni los trabajos malpagados.

—Tengo una teoría.

Kweelen siempre tenía teorías. Me encantaba oírlas.

—Cuéntamela.

—¿Vas a poder comprar un tú-y-yo aquí?

—Se puede hacer muy fácil, mira deja tu silla como está, ahora yo pongo la mía dándole la espalda a la mesa y ya tenemos un tú-y-yo.

—Bueno, pero no puedes comprarlo.

—Dime tu teoría.

—Sabes que yo practico una religión muy distinta a la cristiana.

—Yo no practico la religión cristiana.

–Pero la vives.

–¿Me vas a dejar pagar nuestro siguiente almuerzo?

–Sólo si me llevas a un lugar mexicano.

–¿Aquí?

–Quiero comer ensalada con jícama.

–Que Joyce te bendiga, Kweelen.

–¿Sabes que te admiro por leer el Ulises?

–Admírame cuando lea Finnegan's Wake.

Más que de libros hablábamos alrededor de los libros. De nosotros cerca de los libros.

–¿Lo vas a leer?

–Ése es otro viejito.

–¿Uno sin Balzac?

–No, uno sin tú para el yo.

–No entiendo.

–Tú-y-yo significa tú y yo.

–Me gusta el español.

–Es lindo.

–¿Hablas en español con Ana?

–Dime tu teoría.

–Ah, mi teoría es que todas tus vidas anteriores las has vivido en México y ya no te queda espacio ¿cómo le decías al espacio en la clase de la doctora Justusson?, espera, no me digas.

–¿Ya desde esa época hablaba de microciudades?

–Me hubiera podido acordar.

–Tú eras la única que se sabía todas las categorías aristotélicas y los tres nombres de Hegel.

–Me hace mal sonrojarme.

–¿Te hace mal?

–Como el ajo.

Kweelen dividía rigurosamente el mundo en cosas que hacían bien y cosas que dañaban, igual a las personas, los colores, los meses.

–Tus microciudades están sobrepobladas.

–Mi megaciudad está sobrepoblada.

–Tendría que haber otra palabra pero no la sé.

–Dímela en malayo o en mandarín aunque no la entienda.

–No hay palabra ni en malayo ni en chino.

–Sobrepoblada; la microciudad sobrepoblada.

–Yo también me fui.

–¿Por lo mismo?

–No por lo mismo, pero descubrí que Taipei no me hacía bien.

–¿Y por qué viniste aquí?

–Porque quiero un doctorado.

–¿Estás contenta?

–Mi perro está contento ¿puedo decir microciudades si se trata de un perro?

–Puedes decir microciudades cada vez que te dé la gana.

–Gracias.

–A veces no entiendo por qué me dices gracias.

Nos gustaba no entendernos. Porque nunca nos malentendíamos, porque al no entendernos, entendíamos lo que no deja ver la comprensión fácil, la más obvia.

–¿Tengo razón?

–¿Cómo puedo saberlo yo?

–Come sal, Santiago.

–Siempre como sal.

–No, come sal ahorita.

–Y yo obedecía: comía sal, me cambiaba de lugar, usaba ropa más clara.

–Gracias.

–¿Eso me va a decir si la microciudad en que vivía estaba sobrepoblada?

–No.

–Pinche Kweelen.

–No entiendo pinche ¿lo sacaste de Joyce?

–No, de México.

–Pinche Santiago.

–Yo tuve un perro que se llamaba el Santo que quiere decir el santo literalmente, pero en realidad era el nombre de un luchador panzón que hacía películas y peleaba contra todo tipo de alimañas.

–Sé quién es el Santo: el enmascarado de plata.

Y a veces lo que nos sorprendía era lo que compartíamos, la manera en que el mundo se nos iba uniendo en dibujos insospechados.

–Te voy a conseguir un restaurante mexicano con la mejor ensalada de jícama del mundo.

–¿Porque te dije una teoría tonta?

–Creo tu teoría.

–¿Por qué?

–Dime de la microciudad de tu perro.

–Pasé un semestre entero buscando un departamento donde pudiera tener a mi perro.

–Se llama Genji ¿no?

–No: Genji.

–¿Genji?

–Genji.

–Perdona soy sordo al tono, nunca voy a poder hablar mandarín.

–Genji es un clásico japonés Santiago. ¿Te gustaría?

–Es otro viejo.

–¿Sabes cuál es uno de mis orgullos?

–Poder decir de memoria La canción de amor de J. Alfred Pruffock.

–No, eso es fácil Santiago, fue un ejercicio cuando estaba aprendiendo inglés.

–Dime tu orgullo.

–Hablaba en el radio en Taipei porque mi pronunciación es muy clara.

Era lindo contarnos sin cronología. Cambiarnos estampitas desordenadas de nuestras vidas. Y no esperar que en algún momento se completara la narración. Lo que nos gustaba eran los huecos.

–Di Genji otra vez.

–Perdona la descortesía pero creo que estás muy flaco; ¿te puedo comprar otro plato?

–No, pero sí me puedes comprar un café.

–El café es malo.

–Si tú lo escoges, tomo té.

–Té verde.

–Vale ¿es terrible si le pongo azúcar?

–Tienes que aprender los nombres de las flores y los modales del té.

–Y a decir Genji.

–No, eso no es tan importante. ¿Qué pasó con el Santo?

–Se murió de viejo.

–Té verde.

–¿Estás bien Kweelen?

–No me gustan las historias de perros muertos.

–Por eso estoy aquí, por un perro muerto, pero no el Santo.

–Yo te voy a servir el té y lo debes tomar como yo lo tomo.

–Creí que los chinos tomaban té negro.

–No es bueno el té negro.

–Llega un mexicano seductor, te lo voy a presentar. Tampoco es bueno, pero te va a divertir.

Me gustaba regalarle cositas. Incluso si no se las regalaba, regalarle historias improbables. Suyas y mías. Mis viejitos y sus novios.

–¿Cuándo llega?

–Creo que en realidad llegó ayer.

–No tengo tiempo para seductores hasta que termine mis exámenes; después de los exámenes y antes de la tesis me lo presentas.

–Me caes muy bien pinche reprimida.

–Y tú me caes bien pinche Santiago.

Imagino con cuidado a tu auto matándote, la noche matándote; tu pelo negro rompiendo el cristal del parabrisas, tu cabeza del tamaño de mis manos traicionando su cúpula, tus ojos cambiando de color, tu cuerpo de tigre blanco roto, sangrado, real. Mira este cuerpo de diosa, le dijiste a mi hermano, en el aeropuerto. Recuerdo tu cuerpo de diosa, ahora vencida. Coyolxauhqui. Diecinueve años. Olías a vainilla y a desierto. Imagino a los hombres de la ambulancia. Guardan un cometa lastimado. Impotentes. Te han soñado. Te sueñan. Cuánto les gustaría que dijeras que sí.

Oigo dos muchachos que duermen juntos. Un muchacho y una muchacha. Desnudos. Oigo cómo respiran. Lentamente. Ocupando el mismo aire que huele a sus amores recientes.

Mi hermano y yo, de pequeños, éramos amigos. Salíamos a la calle con el Santo, paseábamos frente a las casas, nos contábamos historias sobre lo que habíamos entrevisto por las ventanas, regresábamos; apenas nos daba tiempo de mal hacer las tareas. Nos gustaba cenar quesadillas para tener sueños y contárnoslos en la mañana. ¿Tuviste quesadillas? ¿Quieres cenar pesadillas? Y papá y mamá, cuando aún no se iban, cuando eran papá y mamá, reían con desconfianza. Nos sabían diferentes, no sólo en el tamaño, en la estatura, en el peso, en la manera de movernos; también en lo hondo.

Oigo, puedo oír la máquina en la casa oscura. La máquina con una mínima pantalla donde aparece un número rojo que indica el tipo de pan que está horneando. Puedo oír la máquina y ver un tres rojo. En el suelo, la máquina torna la harina, el agua y la levadura en pan, ¿hueles?

La adolescencia nos llegó al mismo tiempo, revelando que éramos opuestos. Él empezó a salir más y yo a quedarme. Él trabajaba, compraba ropa, compró un coche, compraba alcohol en discotecas de moda, compraba amigas, novias. Yo me quedaba. Decía que sí. Siempre decía que sí.

Oigo el momento en que la muchacha deja de hablar español y dice te amo en inglés. Lo repite. Tras su puerta cerrada, oigo también la máquina haciendo su pan. La cama, sobre ruedas, suspira levemente mientras se mueve por el cuarto.

Cuando mi hermano conocía a una mujer, apuntaba su nombre en una libreta, apuntaba su teléfono en una libreta, apuntaba en una libreta si la había besado, apuntaba en una libreta si habían fajado dentro del coche, apuntaba en una libreta si habían cogido, apuntaba en una libreta cuántas veces se había venido ella; luego, cuando se hartaba, se ponía a reinventarla en otra libreta: "Nos vimos desde muy lejos. Humo negro. Humo blanco". Yo nunca tuve libretas. Yo decía que sí.

Oigo al muchacho decir te amo en inglés. Y después volver al español. Oigo al muchacho y a la muchacha amándose.

Mi hermano usaba el teléfono de noche.

Puedo oír los ruidos de la casa: el timbre del despertador y el del teléfono. Los diferentes sonidos de la computadora de la muchacha. Puedo oír los sonidos de las puertas de las habi-

taciones y los de las puertas pequeñas de los anaqueles de la despensa y los de las puertas de los closets rodando pesadamente sobre sus rieles de metal. Oigo el refrigerador en plena noche y el horno de microondas haciendo girar la bandeja de cristal y al finalizar su programa tocando una campanilla que resonaba como si fuera de plata. Oigo la regadera potente y la tina llenándose de agua. Oigo los pasos sobre los pisos de madera y la escoba sobre los pisos de madera. ¿Oyes? ¿Oyes las persianas corriendo hacia abajo, ocultando a los muchachos de las miradas del mundo?

Se quedaba callado.

Oigo un beso rápido y un beso menos rápido. Los besos lentos son como pasos en el lugar de la playa donde la arena nunca deja de estar mojada.

Se desnudaba para usar el teléfono. Decía Estoy desnudo y luego se callaba.

Las casas se oyen diferente. En una, el silencio lo rompen algunos automóviles y en el verano la hipnótica melodía del camión de los helados. En la otra hay cuervos, los cuervos gordos que no he visto en ningún otro sitio y, durante el verano, el bajo continuo de cigarras. Sí, tienes razón: un alto continuo.

Me acuerdo de mi hermano: enorme, acostado en el suelo, sin decir nada, escuchando, esperando. Tiene los pies pequeños, todo lo demás es brutal, todo es carne y sangre y venas. Pulsa, está turgente. Es muy blanco y lo puebla un pelo negro; el vello negro y el pelo negro. Todo le confluye en una gran verga central, ingobernable, salvaje, tiránica, destructiva, independiente, no sé escribir: una vergota.

En la casa de las cigarras el piso está alfombrado y las paredes son frágiles: suenan hueco cuando las golpean. En la casa de las cigarras la cama está pegada a la pared y no tiene ruedas.

Marcaba en el teléfono los números de su libreta y se tendía en el suelo, a la luz de la luna o de la calle, con la verga parada. Se quedaba en silencio y después decía Tengo la verga parada. Hablaba muy lento, con una voz de piedra.

Yo me sentaba en la sala, me ponía a jugar con el perro y esperaba que sonaran los teléfonos para decir que sí, siempre o casi siempre. Aún no me gustaba el whisky.

La casa de los helados estaba en un edificio antiguo, con paredes de ladrillo. La casa de los helados era un departamento. Con vecinos. Puedo oír a los vecinos. Los domingos mueven sus muebles y ponen música. Bailan. Otros días pelean. Al parecer se tiran cosas. Oigo los gritos. Oigo las cosas. Oigo a la muchacha diciéndole al muchacho Tengo miedo, Tengo asco. Y yo, el muchacho, digo Nunca vamos a ser así.

Porque has muerto, imagino con cuidado lo último que pasó por tu mente; si en algún momento te acordaste que nunca habías ido a Europa, de la botella de champaña que guardabas para mí. Entre los arbustos de la entrada de tu casa, escondías dos copas largas y delicadas que ya nunca sacaste, que el jardinero encontró y le entregó a tu madre, meses después de que estabas muerta.

Pero si está horrible.

–¿Horrible?

Habíamos ido a cenar los cinco. Pero no al chino porque a Lucio no le gustaba la comida china.

–Quiero un tbone o una hamburguesa –dijo Kay que dijo Lucio.

Y claro, como acababa de llegar, habíamos ido los cinco al diner donde servían tbone y hamburguesas, pays descomunales y café.

–Creo que no era descafeinado.

–Yo estoy bien, Ana, hasta tengo sueño.

–Entonces me odió la mesera. A Miguel a ti y Lucío les decía dear.

–Lucio. ¿A ustedes no les dijo dear?

–No.

–¿Qué les dijo?

El diner era para después de cenar, para después de ir al cine, para después de beber, para charlar.

–Me gusta, enana.

–A mí no, mi pelo huele a grasa.

–Me parece muy sexy.

–Claro que no, y tú hueles a vaca frita.

–¿Quieres que nos bañemos?

–¿A la una y media de la mañana?

–Estás insomniada igual ¿no?

–Bueno, si ya vamos a bañarnos, pon un pan mientras me meto a la regadera.

–¿No me invitas?

–Luego lloriqueas porque pongo el agua muy fría.

Ana me había enseñado a hacer pan, a cultivar albahaca y cilantro, a cambiarle el aceite al coche y a marinar tofu en soya y miel de maple. No había podido enseñarme a poner el agua de la regadera casi helada.

–Mariquete.

–Mi maestra de anatomía dijo que en realidad eso de cerrarse los poros era un mito.

–¿Sí?

–Claro.

–Lee esto.

Nos gustaba leer Glamour. Ella lo decía en inglés y yo en francés o sea en español. Nos gustaban los tests que respondíamos juntos, las entrevistas y sobre todo esas secciones que clasificaban a los hombres.

–También dice que la soya es mala para las tetas.

–Ya San Bobo, no era eso lo que estábamos discutiendo.

–Bueno, igual no me voy a bañar con agua helada enana.

–Ni yo voy a dejar de hacerlo.

Después Glamour dejó de gustarnos y no renovamos la suscripción.

–Es que te estás volviendo una intelectual.

–Para de chingar.

–¿Quieres que compre la de Critical Inquiry?

–Para ya de chingar Santini.

–Creo que fuera de broma Kay sí está suscrita.

A Kay le gustaba hablar de teoría, leerla, era una de las pocas personas que subrayaban revistas. A Miguel le bastaba con que Kay se las explicara.

–Lucio no quiere ni enterarse.

–¿A qué hora dijo eso?

–Cuando te levantaste al baño.

–Por eso le dijiste que evitara la clase de Justusson.

–Sí.

–Pero es buenísima.

–Es mejor Lopa.

–Claro, así se la tira.

–Que te reviento.

Ana podía desnudarse en cualquier sitio, mientras platicábamos. Iba dejando un montoncito de ropa y caminaba después al baño. Cuando se iba de viaje a investigar, yo le escribía diciéndole cuánto extrañaba sus stripteases, sus montones de ropa en un pasillo, junto al escritorio, bajo la mesita de café.

–Oye hay que guardar la levadura en el refri.

–¿Después de seis meses de tenerla en la despensa?

Pero ya no me había oído por el estruendo del agua. Así que puse las dos cucharaditas exactísimas, programé la máquina y metí la levadura al refrigerador, junto con nuestra mostaza fuerte, nuestra mayonesa de dieta y la salsa de soya a punto de terminarse porque no habíamos ido al chino sino al diner.

–Dejaste el refri abierto bobo.

–Es que sonó el teléfono.

–¿Quién era?

–Supongo que uno de tus admiradores porque me colgaron.

–¿Contestaste en español?

–Luego en inglés ¿crees que haya sido tu hermano?

–No.

–¿Te bañaste rico? Déjame olerte el pelo de las manzanillas camomilas.

–A lo mejor fue Josefina.

–¿Lameggs?

–¿No te acuerdas que cuando le dio la crisis porque descubrió que en 1961 Emmanuel Carballo ya había descubierto lo de López Velarde nos habló a las seis de la mañana San Bobo?

–Sí, hay que reventarla.

–O presentársela a Lucio.

—¿No que estaba horrible enana?

Nos gustaba chismear de los nuevos, por eso era mucho más lindo el inicio de semestre de otoño, cuando entraba una generación completa. Pero al final acabábamos hablando más de nuestra gente de siempre.

—Pero cuando te vas con Miguel ¿hablan de cosas de hombres?

—Bueno, Miguel se pone medio papá.

—¿Te sienta en una de las sillitas de las gemelas?

—No zopenca pero a veces dejamos de ser amigos y me sermonea.

—¿Sermonea?

—Preaches.

—Ah, sabía sermón.

Nos gustaba tener diccionarios gordos. Queríamos ponerlos en atriles, abiertos, pero no habíamos encontrado los atriles. Su papá nos había prometido uno cuando nos vino a visitar.

—¿Crees que si les mando las piezas las puedas armar?

—Claro papá.

—Y yo le echo porras.

Seguro un día iba a llegar un paquete con las instrucciones amorosamente detalladas. Y salmón ahumado.

—Ya vas a ir aprendiendo a usar las manos, espérate nomás a que te cobre tu primer plomero pana.

—O a que se le acabe la garantía al coche. Tienes que sacar seguro dental mi querido Lucio.

—Bueno, si me van a dejar los dientes como a ella, vale la pena.

—Nomás no vayas con el de la universidad.

Ana seguía yendo en Salem: al dentista, al oculista, al dermatólogo, incluso se cortaba el pelo en Salem. O en Cuzco.

—Son los únicos lugares que saben cómo dejármelo.

—¿Pero y el PhD cut?

—Todavía falta Santini, todavía falta mucho.

Me gustaba verla peinarse. Me gustaba verla cepillarse los dientes. Me gustaba verla espumar las claras para el merengue. Porque todo lo hacía atléticamente, con gozo pero también con método, con brío, con eso que en inglés llaman gusto.

–Bueno me voy a bañar yo.

Cuando salí estaba hablando por teléfono. Con Lucio.

–¿Pero por qué en inglés?

–No sé, él empezó.

–¿Y habla bien?

–Como cualquier latinoamericano.

––Mal.

–No, encantador; dice she have. Pero a veces tú también lo dices.

–¿Qué quería?

–Quiere comprarles un regalo a Kay y Miguel pero no sabe qué.

–¿Entonces?

–Yo digo que lo llevemos a la Second Date.

La librería de viejo donde los libros olían a espliego.

–Puede ser.

–¿Qué les compraste tú?

–¿Yo?

–Cuando viviste con ellos.

–Pagué el súper.

–Ay San Bobo.

–También les hice una cena linda el día que me fui.

–¿Los langostinos?

–No, tbones y hamburguesas grasientas melonheart.

–Eres un tonto.

–¿De verdad es horrible, no es como cool?

–¿Por usar ropa fea?

–Traía un mes de nuestro sueldo puesto.

–Ve Santini, es tan feo que usa ropa fea para por lo menos estar chistoso.

–Chistoso.

La casa olía a jabón y al comino que comenzaba a hornearse con el pan lento.

–Sabes qué no entiendo Santini; por qué Kay y Miguel y tú quieren ponerle una novia de inmediato.

–Porque es un deporte nacional y supongo que porque vivimos felices en pareja.

–Pero él no, de eso vino huyendo.

–¿Te dijo ahorita?

–No, lo dijo en la cena.

–¿A qué hora enana?

–Mientras Miguel y tú discutían si Bellatin es mejor que Volpi.

–Pero no lo discutimos: los dos opinamos lo mismo.

–¿Bellatin es el de los perros?

–No, ése soy yo.

–Perdón, Santini, perdón, perdón, perdón.

–Pero sí, el del xoloitzcuintle.

–Cállate.

–No importa, Ana.

Habíamos ido a cenar los cinco y ya había sido imposible concertar una sola conversación. Qué bueno, pensé. Mientras a ratos Kay y yo nos emocionábamos discutiendo si lo que pasaba ahora es que todas las ciudades tenían la misma microciudad:

–El corredor San Ángel-Coyoacán-Condesa-Lomas está en todas partes.

Mientras, Miguel y Lucio trataban de explicarle a Ana qué exactamente significaba bule o cuál era su etimología o algo de algún bule. A ratos Miguel y Kay y yo discutíamos quién tenía razón con el término al que se debía comer una hamburguesa y Lucio le preguntaba a Ana dónde se bailaba.

–¿Baila bien?

–Dice Kay que sí pero creo que Kay no sabe de eso.

Mientras Miguel, Kay y Ana hablaban de las gemelas aprendiendo a dar vueltas de carro yo le pregunté a Lucio qué pedo con el bastón.

¿Antes de morir te acordaste de que mi amiga había dicho que la diferencia entre tus diecinueve y sus veintisiete era que ella pensaba que Raúl Ojesto, mi hermano, era un santo y tú pensabas que era un hijo de puta?

Hay una mesita baja. Una mesita de café de madera de maple. Desarmada. En el centro de la sala.

Mi amiga que no era amiga tuya preguntó rumbo al velorio si pensaba que te habías matado adrede y entonces supe:

El muchacho viste unos pantalones color beige y una camiseta blanca de cuello redondo. Está descalzo y suda mientras atornilla las cuatro patas de la mesa. Con fuerza, con felicidad, en esa casa casi vacía. A lo lejos, la melodía dulzona, circular, lenta del camión de los helados.

Te moriste y por primera vez marqué ese número al teléfono. Hablé con mi hermano. Se murió, le dije. Me preguntó qué día.

Hay una mesa en el centro de la sala vacía. Poco a poco recuerdo otros muebles. Un sofá grande y azul. Un sillón rojo. Y cuadros. Uno muy grande, abstracto. Otro más pequeño, gris, con un poste de luz y cables. Sobre la mesa, una vela gorda. Un florero. Veo al muchacho, a la muchacha. En su

sala. El muchacho se sienta con las piernas abiertas y la mu-
chacha se sienta entre las piernas del muchacho. Ya no están
descalzos. Usan calcetas blancas. En el florero hay lirios.

Y entonces te recuerdo, tengo que recordarte, con mi hermano.

Hay una mesita de café. Con una vela gorda, apagada. En el
florero nubecillas. En la mesa un recado.

Apareciste en la lista abajo de muchas otras. Luego fueron
apareciendo más debajo de tu nombre. Mi hermano me mostraba la lista, me dejaba ver cómo avanzaba su censo del mundo. Para que alguien fuera testigo de sus logros. ¿Y ésta? La
conocí ayer en una fiesta. ¿Cómo es? No me dijo parece un
tigre blanco. Eso lo dije yo cuando te trajo a la casa. Parecías
un tigre blanco. No me extrañó que te trajera. A todas las traía.
Una vez que en la libreta, junto al número de teléfono, empe-
zaban a aparecer las cuidadosas marcas idénticas –si la había
besado, si habían fajado en el coche, si habían cogido, cuántas
veces se habían venido– las traía. Decía tu nombre o cualquier
nombre con suma lentitud. Para que yo pudiera recordar, para
que yo supiera cuánto te conocía mi hermano; cuánto le habías
rogado, si te había cogido por el culo, si se la habías mamado
después de que te había cogido por el culo.

—¿Vas con Kweelen?

—No, con Miguel.

—Ya me extrañaba; tan tarde.

—Yo creo que vamos al Tizón.

—¿Hasta allá?

—Tenemos ganas de tacos.

El Tizón por supuesto no se llamaba el Tizón, sus tacos al pastor eran una lástima y daban diarrea cuatro de cada cinco veces que comías, peor si era en la cena. Pero las flautas de pollo y los de bistec estaban buenos.

—Güey, es el mismo disco de la vez pasada. Ahora sí voy a preguntar si es Perales.

—Seguro no es Perales, ya te dije.

—Pero no me dijiste quién era ca.

—¿Y ahora? ¿Se te cayó el pana?

—Bueno ya era hora; además terminé de leer a Balza.

—¿Y va a la tesis?

—Dice Romaña que a huevo.

—¿Sabes que a huevo está en El Cid?

—¿Qué vas a querer?

—Dos y dos.

—Yo igual, ¿negra?

—Negra.

Cuando nos callamos para atacar los tacos, me di cuenta:

–Miguel está jodido enana.

Miguel era guapo, mucho más cuando acababa de terminar el verano, porque se la pasaba haciendo jardín. Se bronceaba y subía un poco de peso: se musculaba pero no mucho porque era más bien bajo y le quedaba mejor seguir delgado. Este año había dejado que le creciera el pelo. Aún lo tenía muy abundante, incluso en la frente. Se lo podía recoger en una coleta y le azuleaba al sol.

–Supongo que es lo que pasa cuando sales del hoyo del doctorado Nan.

Me había acostumbrado a verlo apuesto, casi arrogante, con los grandes ojos color calvados a pleno destello y las pestañas largas haciéndoles sombra cada vez que iba a soltar un comentario venenoso, con las camisas de lino, con las ganas de invitarnos a cenar juntos o a tomar café en su jardín para contarnos de su tesis, a veces un poco de su novela.

Pero mordió el taco y ya no pude morder el mío porque estaba jodido, muy.

–¿Qué es Miguel, qué pasó?

–Apenas vamos en la primera chela ca, cuéntame tú de la felicidad.

Roland Barthes había escrito que la belleza es indescriptible a menos que la refiramos a modelos anteriores. Yo lo había leído unos pocos días antes y lo pensé respecto a la felicidad pero no lo dije.

Cada maestro tiene cincuenta libros, dijo Miguel muchas veces en su jardín con cafecitos, sus largas pestañas jugándole la chispa de los ojos, y la ilusión del doctorado se te acaba cuando los lees todos. Supuse que la ilusión se convertía en revulsión (¿existe revulsión o es culpa de Ana?) la revulsión de oír al pendejo que apenas está recorriendo los cincuenta de Romaña por primera vez.

No mencioné a Barthes ni a Tolstói ni tampoco le dije nada de nosotros.

—Apúrate pues y pides la otra.

Normalmente las arrugas que le habían comenzado a sitiar los ojos funcionaban bien, le subrayaban el saber que se asentaba, el escepticismo, la hijoputez hermanada con la generosidad. Y ahora no. Se habían ahondado y ya no eran tan puramente irónicas.

—¿No te llamaron a entrevistas?

—¿No te dije?

—No.

—Seis lecherías y dos de aquí ca. De segunda división, pero tenure track y de literatura las dos.

—¿Dónde?

—En el puto frío.

Pedí dos negras más y lo obligué a brindar.

—¿Y para Kay?

—No ha mandado nada pero ella sí habla lunfardo teórico.

—Bueno ahí nos llaman cuando necesitemos chamba ¿no?

No es que estuviera jodido-cansado sino como demasiado despierto, asustado, mirando a todos lados; a la calle, al mesero, a las otras mesas.

—¿Ya encontró casa Lucio?

—No, pero ya encontró vieja.

—Está cabrón.

—No, está soltero. Tú y yo pasamos por eso antes.

—Not really.

—No mames, si en México cada vez que ibas a la casa llegabas con una chava diferente.

—Eran exnovias de mi hermano.

—Que por cierto viene ¿no?

—Claro que no —dije y me acabé la negra de un trago.

—Te lo juro enana, está de lo más preocupado y creo que es porque le pueden dar un empleo.

—Pero cada vez que cenamos se queja del doctorado, de ser pobre.

—Pues sí pero supongo que no podemos evitarlo.

—Pero entonces qué ¿se la pica en tu sala?

—No ca, ella pasa por Lucio y lo secuestra.

—¿Es Lopa?

—No ¿te acuerdas de una guapa de alemán?

—Pero según yo era casada.

—Es casada.

—Han de ir al motelito de Psicosis.

—No tengo idea.

—¿No te cuenta?

—No, conmigo sólo habla de Chesterton.

—Bueno dime de tu novela.

—Adelanto.

—Ya pinche Miguel no seas marica ¿me trajiste algo?

—El principio.

—Pues lee.

—No tienes modales Santiago.

—A lo mejor ya no tengo modales. Kweelen dice que es por comer cebolla, que se te caen los modales.

—Pinche china.

—Pinche china indeed.

—Traigo el principio pero no lo voy a leer aquí.

—¿Quieres que te lo lea enana?

—No, luego me cuentas.

—¿Ves por qué te sientes incómoda en las cenas zopenca?

—¿Así que Lucio sigue en casa de Miguel?

—Pues sí, ahí sigue.

—Oye ¿pero no debo saber algo más?

—No. Éste es el principio.

51

–¿Y la tesis es lo que me habías contado de Paz en España?

–No, no tiene nada que ver. Y todo lo de Huidobro y demás, a la chingada; es otra cosa, por eso Balza ca.

Hablando de libros se había prendido un poco. No sin ayuda de las chelas. Igual no estaba bien.

–¿Te volvió el insomnio güey?

–Me da cuando prendemos la calefacción, todavía estoy aguantando.

–¿Qué se dice en las entrevistas?

–Creo que hay que bulshitear.

–¿Igual que en los exámenes?

–Un poco más. Hablas del enfoque comunicativo.

–Te va a ir bien.

–Literalmente me dijo que no le preocupaba que le fuera a ir mal.

–¿Viste los anuncios para Oregon Santini?

–Me dio miedo, no entiendo por qué salieron ahora.

–Estaban hechos para nosotros; ese lugar es hermoso.

–¿Fuimos?

–No, está por donde vive mi hermano, un poco más adelante. ¿Qué más te dijo Miguel?

–No mucho.

–Pues es un poco tarde para no mucho.

–Para de chingar zopenca ¿de verdad te preocupaste?

–No pero te estaba extrañando.

–Confiesa que se te antojó el Tizón.

–No, es que tuve que llevar a Kay y asumió que me iba a quedar jugando con las gemelas mientras ustedes se contaban sus penas mexicanas.

–¿Por qué no la quieres?

–She tries too hard, I guess.

–Intenta demasiado qué.

–No sé, ser mi mamá. Ya se murió y no quiero otra.

—La próxima vez te juro que vamos cerca para que Miguel no se tenga que llevar el coche.

—Oye Santini, explícame más.

—No sé qué más decirte enana, creo que por primera vez lo vi tan ruco como tú dices.

—Por cierto Kay me preguntó que cuándo llegaba tu hermano.

Yo sabía y te miré. Decidí que eras un tigre blanco. Después conocí cuánto aparentabas.

¿Ves conmigo? ¿Oyes conmigo? ¿Se te va apareciendo todo esto que te cuento?
  –Un poco, pero aún no entiendo la historia.
  –Quizás es demasiado sencilla y me da miedo contarla.
  –¿Qué ves? ¿Qué dice el recado?

Yo cocinaba y servía la comida y sonreía casi en silencio. Miraba. Todas se enteraban de que yo siempre decía que sí. Por la tarde se encerraban ella y mi hermano, la ella en turno. Iban apareciendo marcas en la libreta. Yo lavaba los trastes, los secaba, los acomodaba con cuidado y me sentaba en la sala a jugar con el perro, esperando a que sonara el teléfono.

Veo al muchacho leyendo el recado que ha tomado del centro de la mesa y después caminando a su cuarto. Veo su cama grande y tendida. Las dos mesas de noche con lamparitas y torres de libros. Veo al muchacho junto a la mesa de noche de ella, hojeando sus libros y luego caminando lentamente a la suya, por el libro gordo que está leyendo. Lo abre en la página que indica su separador.

Alguien me dijo que tardaron una hora en sacarte del auto, que seguías viva en la ambulancia, que no llegaste al hospital.

El separador es una foto de la muchacha. Con un gorro rojo, jugando con un perro. No es un perro hermoso. Es un perro negro, muy gordo, que corre hacia ella entre dos casitas que son trailers fijados en cimientos de concreto.

Alguien me dijo que habías roto el parabrisas con la cabeza y al rebotar te habías degollado.

Lo veo sentado en la sala, frente a la mesita, tratando de leer. Posa la mirada en el libro unos pocos segundos pero luego la vuelve a la ventana.

Alguien me dijo que venías perdida de borracha. Alguien me dijo que te había convencido de no ir a esa cena.

Lo veo buscando la hora en el horno de microondas. Lo veo haciendo café, colocando su taza de café en la mesita, pasando la página del libro y regresando a la página anterior. Mirando por la ventana.

Alguien me llamó desde España porque supuso que yo iba contigo. Alguien me dijo que no iban a abrir el ataúd durante el velorio porque estabas completamente desarmada, irremediablemente quebrada, horriblemente descoyuntada; rota. Alguien me dijo que ibas a oír lo que te dijera incluso así de muerta.

Veo al muchacho buscando harina en la despensa, agua y levadura en el refrigerador. Lo veo enchufando la máquina de pan y poniéndola en marcha. Afuera ha terminado el atardecer. Pero el muchacho no ha encendido la luz. Con el libro abierto sobre su regazo y las piernas cruzadas, mira la ventana y la máquina del pan. Le parece que el sonido que hace es diferente.

No quise creerle a nadie.

–Yo quería agradecerte mi querido Santiago.

–¿Que te haya dejado sola con las gemelas el otro día?

–No, Miguel me había dicho que extrañaba sus pláticas del semestre pasado.

–Bueno, ahora le toca a Lucio el turno de los cafecitos en el jardín ¿no?

–Está tan preocupado entre sus novias y encontrar departamento que casi no lo vemos.

–¿Qué metió?

–Creo que Lopa, Romaña y la de Surinam.

–No metió la de la Justusson.

–Se lo dije.

–Pero le dio miedo porque hay que leer a Lacan.

–Lucio dijo otra cosa.

–Era lo de Lacan, estoy seguro.

–Bueno eso no te lo puedo contestar con certeza mi querido Santiago.

–Intenta.

–Sabes que no está en mi repertorio.

A veces Kay me parecía tan extranjera como Kweelen, ambas de otro planeta, con una ética tan férrea que no podía sino sentirme humillado cuando hablábamos.

–Lo sé Kay. Le va a ir bien a Miguel en las entrevistas.

–Eso nos tiene muy tensos.

Me callé y la miré. Uno no ve a la gente que quiere. Sólo a la que desea. Te vas acostumbrando y ya son un estilo de ropa, un perfume, un corte de pelo, algo que sólo existe cuando deja de existir, cuando cambia.

–Enflacaste muchísimo.

–Decidí que iba a pesar lo mismo que antes de las gemelas y ya no parezco una vaca.

Nunca había parecido una vaca, ni siquiera una vaca flaca porque siempre habíamos sido amigos, así que las diez libras o los diez kilos habían sido sólo un cambio de una Kay a otra.

–Pero lo de ahora era distinto. Estaba jodida Nan, muy jodida.

–Te dije que no cogían.

–Creo que deberíamos traernos a Lucio un rato, igual no creo que tarde mucho más en encontrar casa.

–No, querido Santiago, en la casa de veras no nos molesta.

–Puede dormir en la sala o en nuestro estudio y no tenemos hijos Kay.

–¿Sigues pensando que van a aguantar hasta que terminen el doctorado?

–Yo tengo mucho miedo.

–Mi querido Santiago, no puedes impedirte la vida por algo así.

–Piénsalo Kay, si supieras que tus hijos van a tener una enfermedad espantosa ¿hubieras tenido a las gemelas?

–Mis dos abuelos son diabéticos Santiago.

–Soy un pendejo.

–No creo que se haya enojado Santiago. No haces mal, no haces enojar a la gente.

–No, no se enojó; le faltaba ánimo hasta para eso.

Kay se enojaba de manera luterana. Se callaba y se iba. Incluso si estábamos en un restaurante y afuera había un metro de nieve, retiraba su silla y, como si no sucediera nada, se alejaba de la mesa con los labios muy apretados. Kweelen nunca se enojaba. O se enojaba y yo no me daba cuenta.

—No te preocupes mi querido Santiago, Lucio tiene una llave y te juro que no lo esperamos despiertos cada noche.

—¿Eres amiga de la alemana?

—No pero soy casada y trabajo en la misma oficina que ella; como le dije a Lucio, es messy. Además no es sólo con ella.

—Ves Nan ¿no que era horrible?

—Es horrible.

—¿Entonces?

—No sé, pregúntale a la insoportable ésa, a Josefina.

—¿Por qué no me habías contado?

—No ha pasado nada pero lo acosa; hoy lo invitó a almorzar.

—¿Cómo sabes?

—Me contó.

—¿Cuándo?

—Llamó para ver si cenábamos juntos mañana.

—¿Los cinco?

—No, los tres.

—Igual y sería un paro para Kay y para Miguel.

—Al contrario, yo creo que no dejan que Lucio rente porque están aterrados de quedarse solos.

—¿Entonces los invitamos enana?

—No, al final tienen que enfrentarlo.

—Kay dice que las gemelas están teniendo el mismo sueño.

—¿Nomás orangina viniste a comprar mi querido Santiago?

—Bueno soy un adicto y se me antojó.

—¿Y no venden por tu casa?, aprovecha y llévate portsalut que es buenísimo.

—Creí que era un sueño que ya Miguel me había contado antes, un día que trató de hacer el blackened catfish y se le negreó de más.

—No se deben comer peces del lodo, peces que viven pegados al fondo.

—Bueno, pero eso no es lo importante: lo de ese día no era sueño sino la visión de fiebre que todas las mujeres de su familia tienen al parir y Miguel quería saber si Kay estaba viendo un incendio en la casa roja de Veracruz.

—Leí *Lejos de Veracruz*. Es malísimo.

—Pinche Kweelen.

—Yo jamás había conocido la casa roja —dijo Kay— porque ya la habían vendido y demolido diez años antes de que fuéramos, y además era mi primer parto, y Paula pesó dos kilos y Laura dos kilos cien, mi querida Ana ¿tú crees que vi algo?

—¿Y tú estabas borracho, cabrón?

—No Ana, estaba muy nervioso, muy muy nervioso.

—¿Entonces?

—Sueñan que vuelan de noche como brujas pero en lugar de escoba sobre un bastón.

—Estás obsesionado bobo.

—No pero supongo que las habrá impresionado que se les haya aparecido en la vida un güey con una cosa así.

—Kay, dime algo ¿por qué tiene tanto pegue Lucio?

Nunca tuve que preguntarle por ninguna de sus novias. Después de la primera vez que las traía, ellas recordaban mi nombre y platicaban conmigo por teléfono. Cuando mi hermano no las llamaba, ellas solían llamar, venían, le mandaban regalos. Mi hermano estaba en su cuarto con otra mujer o fuera, buscando mujeres. Le escribían cartas hermosas y mi hermano no tenía tiempo para responder. Y era yo quien muchas veces contestaba. Poco a poco yo les decía que sí. Yo estaba siempre, les abría la puerta, sonreía y alguna me decía Tienes hoyitos en los cachetes. Lloraba con ellas, les servía algo de beber, las miraba con un anhelo verdadero y al final les decía que sí. Ellas y yo sabíamos que era por mi hermano, en lugar de mi hermano, y nos consolábamos, tristemente al principio, sólo al principio.

Hay pesadillas.

Las pocas veces que llamaban para buscarme y mi hermano tomaba la llamada, colgaba rápidamente; se molestaba. Ya deja de chingar, y yo lo oía porque estaba sentado en la sala, jugando con el perro mientras esperaba a que el aparato volviera a sonar.

De noche, veo al muchacho maldurmiendo. La muchacha no sabe si despertarlo. Lo abraza y el muchacho se calma. Dice un nombre. No es el nombre de la muchacha.

Me preguntó qué día te habías muerto. Y no le contesté. Porque dolía todo decir que en viernes. Los viernes eran tu día. No le contesté. Y no le contesté porque necesitaba pedirle un favor. Él ya no vivía aquí cuando te moriste, desde lo de Mascoto no pudo vivir aquí. Empezó a hacer lo de los dientes y ya casi no vivía aquí. Se empezó a ir y yo tuve que decir que sí cada vez más. Porque él no estaba nunca y yo seguía quedándome, en la sala, ya sin perro, tomando whisky. Tocaban a la puerta, llegaban cartas, sonaba el teléfono. Y yo siempre decía que sí.

La muchacha, dormida en pleno día sobre una toalla, frente al mar hermoso. Tiene una pesadilla. El muchacho la mira y le besa la sien y la muchacha despierta. Por un segundo el temor permanece en sus ojos.

Las novias para él eran una sola, un conjunto, una sucesión; el continuo de sus mujeres.

Pero también puedo ver las pesadillas. Las pesadillas del muchacho. Las pesadillas de la muchacha.

Sólo cuando una sunovia venía y no lo encontraba y se sentaba conmigo en el pasto del jardín a beber agua de pitahaya o de pitaya y a comer pan tibio con mantequilla y aceitunas negras, empezaba a contarse en torno a una psicóloga, un exnovio, un trocito de pasado casi inconfesable. Maravillosas, ya podían volver a tener los ojos en forma de delfín que salta (Georgina), la mano izquierda poblada de anillos de plata antigua (Dalia), la voz llena de baches centroeuropeos (Kasja), un tatuaje hermoso enrollado desde el tobillo hasta el ombligo (Verónica), un pelo rojo que estallaba cada tarde (Carmen), el olor a madera de navío que vencía todos los perfumes (Pilar), tres hermanas, todas enamoradas de mi hermano (tú, mi tigre blanco).

Veo una escalera.
   –Pero/
   –Ya sé.

Las novias para él eran un censo, una respuesta siempre incompleta a un carajo de pregunta. Y claro, el pendejo citaba a Cernuda y las derretía. Él las quería a todas y yo las iba amando una por una.

   –Pero/
   –Puedo. Quiero ver una escalera.
   –Bueno, ¿qué decía el recado?
   –Nada y todo.

Después de la noche que cenamos tacos, volví a pasar largas horas con Miguel, como cuando yo recién había llegado, cuando vivía en su casa.

–Está bien Santini, ve con él. Mientras no esperes que yo me quede a jugar con las gemelas y a platicar de modas con Kay, todo bien.

–Podrían ver a las sabrosas de la Condesa.

–Me caga Sex and the City.

–Porque eres su némesis: una señora casada y menor de treinta años.

–Vete ya San Bobo.

Íbamos a cualquier cosa: al del té con bolitas que Kweelen despreciaba, a cafeterías, al de las chelas nocivas, al diner. Esa noche se supone que le iba a enseñar un cuento. Miguel lo leyó y yo le pregunté cómo era ser escritor.

–Dime tú: esto está muy bien.

–No. ¿A qué hora escribes?

–Cuando nacieron las gemelas me volvió el insomnio.

–En México nunca dormías, me acuerdo de encontrarte a las cuatro de la mañana en Superama.

–Tú ibas con tu perro.

–Con Mascoto, me acuerdo bien; no éramos tan amigos ahí Miguel.

–¿Por qué nunca te metiste a mi clase?

–Porque te llevabas con Raúl.

Miguel se había estacionado en una edad. Ya no lo sentía tan lejano; de pronto estábamos los dos juntos en lo mismo.

Claro, yo casi en el principio y él a punto de acabar, pero era distinto. Ya no era el amigo de Raúl en Superama, ya no era el escritor en la presentación de su primer libro, de su segundo libro, de su tercer libro.

–¿Por qué ya no has publicado nada?

–Porque me casé con una señora con genes para hacer gemelos.

Miguel era lo que soñaban con ser las novias de Raúl que se conmovían con la literatura. Después odiaban la literatura por culpa de Raúl.

–Pero entonces dejaste de escribir con las gemelas.

–No.

–Escribiste papers.

–Si repites esto te mato, pero hubo un semestre que hice los míos y los de Kay.

–Y dejaste la novela.

–No; empecé una novela.

–La del principio que me pasaste.

Cuando lo traté más, cuando empezó a ser muy mi amigo, me sorprendió la cantidad de cosas suyas que recordaba, frases que había dicho o escrito en reseñas o ensayos. Nunca publicaba cuentos.

–¿Antes eras más ácido?

–Espérate a que termine este libro.

Un día le iba a decir que nunca me había parecido tan ácido como él creía, que al final Ana y yo pensábamos que era un bombón forrado de sal y chile piquín. Probablemente cuando pudiera traducir el símil al idioma de su microciudad.

–¿Pero qué es lo primero que haces, tramar el libro?

–No, no mames.

–No mames qué; yo no sé de este oficio, yo nada más analizo narrativas terminadas.

–No digas narrativas ca, no digas narrativas fuera de un seminario.

Nunca lo había oído decir ni siquiera superyó. Quizá por eso escribía tan bien. Pero también quizá por eso no iba a entrar al circuito de las universidades de primera división.

–Duke nunca me va a fichar.

–Fichó a Lopa cuando acababa de terminar su doctorado.

–Pensaban que era prima de Carlos Fuentes.

A veces me inquietaba darme cuenta de que también con Miguel planeaba vidas. Claro, no es que pensáramos juntos de qué color queríamos las recámaras pero gracias a él y a Kay había continuado la parte más amable de la microciudad de México, de la que no quise deshacerme cuando me largué.

–Compré aguacates y milanesas –decía– ¿te apuntas para las tortas?

–No sólo me apunto, si quieres llevo una película de Joaquín Pardavé para rematar.

–Mejor trae cocacolas importadas y te toca doble.

En su casa había un refrigerador inagotable de gansitos y bubulubus.

–¿Qué puedo hacer si Laura y Paula se volvieron adictas?

–Seguro se los das de castigo pinche Miguel.

–No hombre, se los tengo que racionar.

–Eso, dime si alguna vez escribes comiendo gansito.

–No, escribo chupando.

–¿Después de chupar?

–No; me sirvo un palo y me siento.

–¿Fuerte?

–Fuerte; la chela me ahueva.

–¿Y entonces?

En una entrevista había declarado que por cada página que tuviera un libro tenía que pasar un día en el cajón antes de poder revisarlo. Me gustaba que no se pareciera a su persona pública, que en las cenas jamás platicara de cómo escribía y apenas de lo que escribía. Prefería hablar de comida. O de los mexicanos con los que nos llevábamos. Aunque se enojara Kay porque le decíamos puteque al puteque del banco.

De lo que escribía y de cómo escribía hablaba conmigo.

–Y sólo porque insistes ca.

Claro que una vez que había comenzado, no había manera de pararlo. Aunque de repente se acordaba de ser cortés y trataba de bajarse un poco del monólogo.

–De veras está muy bien el cuento, aunque tiene más aire a capítulo de novela ¿por qué no le sigues?

–Porque no lo escribí yo Miguel.

–Ay cabrón.

–Ay cabrón indeed; luego te explico.

–No dime de una vez.

–Mejor dime tú; si no tramas ¿qué haces primero?

–Creo que elegir un género.

–¿Por ejemplo?

–Por ejemplo la novela de desventuras que voy a terminar.

–¿Antes de la tesis?

Con su primer libro había ganado uno de los premios para jóvenes que lanzaban gente a la fama o a eso que pasaba por fama en nuestra microciudad. La microciudad que incluía el Superama donde vendían ron venezolano y vino argentino.

–¿Tú también lo comprabas?

Mi hermano se lo había recomendado.

–Claro, yo también pensé que era gringo por el nombre. ¿Finca Flinchman era?

–No sé, nosotros le decíamos Flashgordon.

–Está chido Flashgordon, Miguel.

–Entonces sí de vez en vez hablabas con Raúl; no lo odiabas tanto.

–Vivimos mucho tiempo solos en la misma casa.

–Igual que nosotros ¿no?, como en El siglo de las luces.

–No la he leído.

Había leído, en cambio, esa pequeña rareza donde Miguel describía su adolescencia con tres adjetivos brillantes, sobre todo juntos.

–¿Fugaz, hermosa y violenta?

–No me acuerdo.

–Era memorable.

–Era un homenaje a Juan. Eso era el premio del premio: ser amigo de los que de verdad eran famosos. Iba a sus casas y los mencionaba por el primer nombre. Para mí eran apellidos con cara pero no con voz. Nunca había brindado con ellos. Quizá Raúl sí. Quizá había brindado con ellos y después (o antes) se había cogido a sus esposas, a sus amantes, a sus novias. En las listas de mi hermano nunca hubo genealogía o pedigree, sólo primeros nombres.

–Violenta, fugaz y hermosa.

–No, no caen bien los acentos.

–¿Te fijas en eso?

–Algo en mí se fija.

–A ver, entonces cómo das el salto del género a los acentos.

–Supongo que nunca pongo tres adjetivos seguidos en una comedia.

–Pero nunca has escrito una comedia.

–Espérate a que acabes de leer esta novela ca.

–Era violenta, hermosa y fugaz.

–Lo fue.

–La mía también, creo.

–¿Te educó el chofer?

–Chofer no teníamos pero estábamos enamorados de la sirvienta.

–Era famosa tu sirvienta.

–¿Sabes que se acabó casando con uno de la generación de mi hermano?: Cruz, Alberto Cruz.

–No me acuerdo.

–Nadie se acuerda pero él fue el que se casó con Súe.

–¿Fuiste a la boda de tu sirvienta ca?

El segundo libro había salido casi inmediatamente después que el del premio. Para aprovechar el éxito del primero, del primero y del encanto de Miguel. El problema es que el segundo libro, la colección de ensayos, no tenía nada que ver con la novela gótica pero cool (había escrito Fernanda Solórzano) que aprovechaba y arrasaba con esa moda de los vampiros y los ángeles en una mezcla aristocrática, muy limpia y por eso inquietante: los ángeles son vampiros. Los ensayos eran todos de una enorme simplicidad.

–Los escribí para las gemelas.

–¿Acababan de nacer, no?

–Son para que lean aquí, cuando estemos muertos Kay y yo.

–Güey ¿sabes que esos ensayos son parte de mi paper largo de maestría?

–¿Con eso de las ciudadcitas? –mató su café y volteó la taza sobre el platito– Funciona.

El libro se llamaba Extinción y nadie supo qué hacer con él. Se trataba de todo lo que había existido durante nuestra infancia (nuestra aunque no hubiera sido exactamente la misma) y que se había ido a la chingada.

–Christopher me dijo que tendría que haber incluido al PRI.

–Sí pero quién va a sentir nostalgia de eso.

–Se nota que no has regresado ca.

–Para de mamar.

–Bueno todavía no pero te juro que para allá vamos.

Yo hubiera dicho van. Yo hubiera pensado vamos y luego me hubiera esforzado para decir van. Aunque pagara fortunitas extravagantes por la cajeta, por el chilorio, por el queso oaxaca de cuarta, por el chicharrón, por la salsa picante, por el huitlacoche y por la flor de calabaza, hubiera dicho van.

–Sabes, extraño esos frijoles instantáneos a los que nomás les echabas agua.

–¿Las cacas de conejo?

–Ésos.

–Te llegas a acostumbrar a los Goya, nomás refríelos con un chingo de cebolla amarilla.

Miguel cocinaba como sólo cocinamos los niños abandonados. La diferencia es que él cocinaba para una familia y yo para dos personas, siempre para dos: Raúl y yo, una de las novias de Raúl y yo, Ana y yo. Y es distinto. Las entomatadas, un pollo entero, un huachinango de tres kilos son cosas que se cocinan para la familia. Aunque luego Laura y Paula le echaran catsup al pescado o se negaran a comer pozole rojo porque tenía pelos.

—Cocinar es un oficio de escritor: cuando termino una cuartilla o me acabo un palo, bajo a la cocina para ir poniendo camarones a marinar o sacar la carne del congelador.

—Oye ¿dónde compras los camarones, en el mercado del puente?

—No, ahora vamos con el español porque además tiene pulpos portugueses.

El español era parte de la microciudad que Miguel y Kay nada más platicaban pero nunca nos compartían, como el deli, como la librería de viejo donde los libros no olían a espliego pero sí incluían la antigua edición de la Modern Library casi completa que Kay estaba comprando.

—Oye ca ¿entonces el cuento es de Raúl?

—Sí.

—Debería publicar.

—Todos sus otros cuentos son iguales; además yo creo que ya dejó de escribir.

—O escribe en inglés ca.

Miguel sabía decir cosas durísimas en medio de cualquier conversación inocente. Era un maestro del paréntesis, del aparte, de los guiones largos que nunca usaba en sus libros pero estaban implícitos en esas oraciones que dejaba allí, colgadas, uniendo dos párrafos larguísimos. De hecho su primer libro terminaba con una oración corta que era un párrafo en sí misma: No había pasado nada. Me recordaba un cuento pero no me acordaba de quién. Igual el cuento no tenía trescientas páginas y estas cosas sólo importaban aquí, entre las ardillas.

—¿Hay que robar?

—Claro que hay que robar.

—¿A Dostoyevski?

—No, a Quevedo y a Gracián.

—Por un attimo creí que a nuestro Quevedo.

—Attimo está lindo, pero a nuestro Quevedo no se le entiende nada; bueno a lo mejor Kay y tú sí le entienden.

Yo entendía a Quevedo y lo admiraba, me deslumbraba la Justusson, y también oía con Ana esas canciones secretas que Miguel denostaba cada dos cenas. Ana y yo nos quedábamos callados y luego, sin decirnos nada, las poníamos en la casa, en el cuarto, muy bajito, para que nos durmieran, como una travesura dulce, un desobedecer secreto que garantizaba que nosotros no íbamos a ser nunca como ellos.

—Yo me casé gracias a ustedes, Miguel.

—Nunca me lo habías dicho.

—Bueno de los que se casaron cuando Kay y tú, ya todos pasaron a visitar la gaver; no necesariamente que se hayan divorciado, a veces siguen juntos y es peor; en cambio cada vez que los veía, ustedes tenían de qué hablar, bueno, hasta cómo crían a Laura y Paula es un peligro.

—¿Sabes que el otro día Paula me dijo que no le dijera Paula sino Pola? No mames.

—Pola y Lora; supongo que la presión de la escuela es invencible.

Incluso esa escuelita multicultural a la que Miguel le decía smallworld, donde la mayoría de los niños eran hijos si no de ilustres, de ilustrados y que la había servido para acercarse a otras tribus.

—¿Ahí conociste a Han-Xing?

—Sí, éramos los que peor inglés hablábamos en las juntas y nos hicimos cuates.

–¿Pero no es músico?

–Sí, toca padrísimo.

–¿Y no tiene oído?

–Nunca lo había pensado.

–¿Por qué no traduces algo para revistas?

–¿Quieres saber la neta y te castro si alguna vez le dices?

–Dime.

–Kay está traduciendo lo de Extinción para mandarlos al New Yorker.

–¿Y crees que haya chance?

–No te veo muy optimista ca.

–Es que para mí Extinción sólo lo podemos leer nosotros, los de la microciudad sentimental.

–Kay dice que al revés, que es como lo que han sacado últimamente.

–¿Ya terminó alguno?

–No, va trabajando con pedacitos de cada ensayo, a como se le antoja.

–¿A la misma hora que tú?

–No, a Kay le gusta trabajar en la oficina.

–Los traduce en el Centro, ¿te cae?

–Me cae.

Kay traducía con una grabadora manual; se ponía enfrente el libro y leía con su voz entrenada de actriz, sin acotarse los signos de puntuación, confiando en su entonación. Lo que no podía imaginar era hacer eso entre cartas, pruebas de edición, telefonazos y sus dos compañeros de cubículo oyendo canciones distintas mientras jugaban Duke Nuke'em 4 o Wing Commander 8 y bajaban pornografía a sus dvds.

–Es lo más parecido a estar con las gemelas.

–Eso sí no lo había pensado güey.

–Además la ayuda a recrear la atmósfera de la Ciudad de México.

–Que por cierto es perfecta en El último vieneviene.

—Es cagado porque ése lo escribí en Tlacotalpan.

—Creí que escribías guardado, de madrugada.

—No, ése lo escribí mientras Lora y Pola iban en el barquito con la fresa de mi cuñada y yo las esperaba en la terraza.

—Nunca he ido.

—Es magnífico.

—¿Sabes cuándo se empezó a usar?

—¿Fresa? No. Ya Monsiváis y José Agustín lo ponen.

—¿Viste en Corominas?

—No está, a Corominas lo mexicano le vale verga y en Santamaría tampoco viene.

Cuando no salía con Miguel, me quedaba en el departamento esperando a que Ana terminara su clase sobre dar clases, que era de noche y aburrida.

—Está emputadísima porque me la perdonaron.

—Es que no tienes idea de lo que es hacer el portafolio ca.

—Bueno ya me puso a recortar chiles y piñas y jícamas de revistas o sea que tampoco la libré por completo.

—Sí, Lucio se llevó a una de sus esclavas para trabajar la otra noche.

—¿Se las está picando en tu casa?

—No quieres que te cuente.

—Claro que quiero cabrón ¿o a poco crees que los escritores son los únicos cochinos?

Me quedaba en la casa y leía Marear, el tercer libro de Miguel, sobre la señorita de Las Lomas que se iba de viaje en un superpetrolero. Lo había presentado cuando ellos ya vivían aquí y yo estaba a punto de venir al doctorado. Me firmó mi ejemplar y en la fajilla (DEL AUTOR DE CIELO—y no de Extinción, claro) me dejó su teléfono.

—Te quedas en la casa y nos cuentas por qué chingaos no vino Raúl.

—Porque lo está buscando la policía.

Miguel se había reído, me había puesto una nueva copa de vino en la mano y se había ido a saludar a alguien más, quizá pensando que mi excusa era ingeniosísima, robada de Quevedo o Gracián. Yo había seguido bebiendo con mi amiga, hasta que me dio su anillo y Lucio aplaudió nuestro inexistente amor. Luego empaqué Marear entre los veinte libros con los que había cargado para venir.

–Ahí también fue su culpa, Miguel.

–¿Pero por qué ca?

–Leí ese ensayo sobre cómo vendiste dos terceras partes de tu biblioteca para mudarte. Es un homenaje a Benjamin ¿no?

–¿Vendiste la tuya?

–Es un ensayo maravilloso; deberías incluirlo entre los textos que está traduciendo Kay.

–Sería un suicidio.

–No entiendo. ¿Por Benjamin?

–No sé, no he leído lo de Benjamin. Pero acuérdate de los autores que dejamos en México. La mitad colabora con el New Yorker.

Yo nunca iba a poder pensar así; yo pensaba que si escribías algo bueno había que publicarlo, pero Miguel me explicaba la carambola de influencias y egos y futuros favores a pagar.

–Hay una política, no sólo una estética.

–Dime más; piensas el género y con el género sabes cuántos adjetivos poner ¿entonces a qué hora te imaginas a los personajes?

–No, nunca me los imagino, ésos los secuestro.

–¿De la vida?

–¿No te diste cuenta quién era el grumete yemení con la vergota?

Y pendejamente, creí que era Raúl.

¿Me lees el cuento del que hablaron Santini?

FIN DE FIESTA

Ese lunes al despertar, encontré un pájaro en el hueco brutal de la palma de mi mano izquierda. Un pájaro muerto. Quebrado. Era su regalo. Un falso regalo, un pago. Había dicho Vas a enseñarme qué desear. Supongo que me escogió como podría haber escogido a otro cualquiera. Como quizás escoge a otro cada domingo, en esas fiestas que comienzan justo a la mitad de la noche. La invitación llegó por teléfono. No supe quién llamaba y sentí pena de romperle la ilusión a la voz dulce y equívoca que me conocía lo suficiente como para pronunciar mi nombre lento y erizado. De la misma manera en que lo pronuncio yo. Lento y erizado.

Se sorprendió agradablemente al verme entrar. Fugaz estrella fugaz. Más me sorprendí yo porque nunca la había visto. Sonrió. Se quedó sonriendo toda la noche. Quizás era una manera de coquetearme y me pareció de lo más bien. Accedí a bailar con ella y a no bailar cuando la música dejó de gustarle, a ocupar un sillón apartado y cómodo, ideal para comenzar la charla que ella guillotinó prontísimo. No te gusta hablar, hay que estar callados. Me puso la cabeza en el hombro y yo la abracé. Su cuerpo tenía dieciséis años exactos. Olía a clase de ballet y a no necesitar bañarse nunca. Estaba tibia, como sombra reciente. No dudo que cerráramos los ojos al mismo tiempo, no dudo que para el resto de la fiesta desapareciéramos en lo que la veloz cursilería no sabe llamar sino amor a primera vista. Volvimos a bailar cuando pusieron merengue. Ella perfecta y yo arrítmico. Trataba de enseñarme a no ser arrítmico. Le pregunté si ella podía dejar de ser zurda. ¿Cómo sabes que soy zurda? En su mano derecha un Rolex indecente y masculino marcaba las doce y veinte. Celos: un antes con reloj, un alguien.

No sé nada, ni cómo te llamas.

Paulina. Y sí, soy zurda aunque también puedo usar la mano derecha. Sin dejar de ser zurda.

De puntillas, me acarició el arranque del cuello con la mano derecha. Círculo lento: vértebra, trapecio al lado izquierdo, clavícula, sur de la manzana de adán, 180 grados más de etcétera.

Sigue de puntillas, le pedí, mirándola a los ojos. Eres buena ¿verdad?

Tú también eres bueno. Aunque creas que ya no.

Ya no.

Sonreí. Dijo que le gustaba mi sonrisa. Y me importó lo suficiente para hacerme sonreír de nuevo. Ella seguía de puntillas.

¿Entonces?

Dime.

¿Me quieres?

Yo lo entendí amorosamente y amorosamente le dije que Sí. Ola detenida.

¿Cuánto tiempo me vas a querer?

Siempre siempre siempre siempre siempre. Ola detenida.

La abracé mucho, con fuerza, y ella me dejó, por un instante, llegar al centro de su fragilidad. Después me expulsó. Y sonriendo su delicada alegría defensiva, me regaló unas caricias.

¡Qué lindo! Creíste... No, yo te pregunto si quieres pasar la noche conmigo o una hora o media hora. Hay que pagar.

La misma sonrisa, el final de la caricia. Sonido inapresable: el disco de sus huellas digitales, la aguja de mi barba (metáfora pre cd).

Siempre hay que pagar.

La ola cayó y empezaba a retirarse, irreparable. Arena y burbujas. Arena sólo húmeda.

¿Cuánto cuestas?

Caro, dijo casi avergonzada.

Es mejor.

Le entregué mi cartera porque ya no importaba. La examinó con curiosidad. Hizo correr el cierre. Boletos de conciertos pasados, credenciales vencidas, me devolvió los pequeños trozos de papel con teléfonos apenas comprensibles. Sólo al final contó el dinero.

Me hubiera gustado dormir contigo.

¿Podemos dormir media hora?

Hasta dos, calculó, repentinamente experta.

¿Quieres?

No. Quiero verte excitado.

¿Por qué?

Para saber que te di algo.

Los dos con los ojos cerrados, diez minutos atrás. ¿Qué canción habían bailado los otros, los que sí bailaban? ¿Era la mejilla o esa oreja en forma de concha blanquísima lo que había apoyado en mi hombro?

Ya me diste algo.

¿No te gusto?

Supe: estaba jugando. No se dedicaba a ser puta. Acababa de encontrar mi compasión, mi dulzura. Tus manos frías en mis axilas, de noche, sin luz ni ropa.

Prefiero cuando te ríes, dijo Paulina.

Casi nunca me río. Pero es maravilloso que no seas puta. Merece risa.

Pero es que sí soy puta, putísima.

No lo digas. Mejor explícame cómo hoy te llamas Paulina. Antes me gustaba que me contaran cuentos pero hubo un momento en que ya no supe escuchar. Quiero reaprender/.

Catorce posgrados.

¿Perdón?

Mi madre estudió catorce posgardos y se quedó sorda.

Así que tienes madre.

¿Cómo te la imaginas?

Jipiteca. Dándote leche de sus siete amigas recién paridas además de la suya. Mezcladas en una mamila con humo de mota.

Su mano en mi pelo. Con el gesto melancólico de una cuarentona despidiéndose de su amante veinteañero.

¿Sí?

No. Soy demasiado joven.

No me lo recuerdes.

No te agobies.

Estupro, secuestro, intoxicación alcóholica.

Amén. Sí quiero. Todas. Para camar aquí y para llevar.

Pero lo suyo era inercia verbal, seguía actuando, no estaba siendo tan cierta como yo hubiera necesitado.

Ese lunes al despertar miré mi mano derecha y encontré que estaba cerquísima de un saguaro de tres metros que jamás había estado en mi cuarto. Seguí su lenta erección inconsolable hasta el final de una ventana esbelta que tampoco recordaba como mía.

Ese lunes al despertar miré mi mano derecha, un saguaro, una ventana desconocida y muy poco a poco me atreví a reconocer que no estaba en mi habitación.

Ella sonreía mucho. Demasiado.

Paulina. ¿Qué escondes?

Más sonrisa. Era muy blanca, sus ojos peces sin boca. Ay anzuelo inútil, agua.

Duermes con los párpados apenas cerrados, dije, con la boca sin sonrisa ni dolor, con el vientre hacia la cama, con los pies apuntando al norte, evitas la almohada, exhalas un olor de piedra a media tarde. Duermes y siempre a la misma hora te separas de la cama despacito, tan poco que las chispas no se deciden a existir, tan poco que tu silueta marcada entre las sábanas no lo sabe, y es tan tarde que no te cambian los sueños. Levitas y tu expresión oscila ligeramente hacia la sonrisa. Quiero verte así.

Hazlo. No lo digas

Mirarla levitar.

Ven, vamos a bailar más, dijo.

Quiero algo de beber ¿tú?

Vino negro en mi mano derecha. Vino blanco en su mano izquierda. En la derecha un Rolex masculino. La aguja del segundero se deslizaba continuamente y no a saltos. Un Rolex auténtico.

¿Te gusta? Voy a regalarte cosas.

No me gusta que me den. Mejor pídeme algo.

Tenía dientes pequeños, como traídos de otra época. Dientitos.

Vamos a bailar.

Arrítmico aunque ella insistía que el ritmo me llegaba muy adentro.

Sígueme.

La seguí. Nos chiflaron cariñosamente, nos aplaudieron un poco. Alguien me palmeó el hombro. No lo conocía. De pronto había tanta luz en esa fiesta.

Paulina, tengo un problema.

No, vas bien. Sígueme.

Paulina.

Ya cállate.

Habíamos enterrado al perro, mi hermano y yo.

Santini. Y se juntó más porque sabía que me estaba doliendo, que no era fácil. Supo y supe que supo y quizá era menos difícil estarlo leyendo.

Habíamos enterrado al perro en el jardín. No había luna y la lámpara daba muy poca luz. Sus manitas lastimadas, mis manos lastimadas, el frío de la noche y el sudor. El perro metido en dos bolsas negras para tirar basura. Rígido y con la punta de un mojón de mierda saliéndole del culo; rígido y con la boca entreabierta mostrando unos dientes que ya no eran terribles ni simpáticos ni ladinos ni nada más que esqueleto. Casi no hablamos. Tampoco recordamos cómo llorar. Después mi hermano se tomó un whisky y yo me fui a la calle.

Paulina, me callo si quieres pero no te calles tú.

Sí me callo; necesitas oír mejor. No hables. No quiero que pienses.

Catorce posgrados.

Ella bailó para mí y conmigo. Sabía que eran dos cosas distintas y podía resolver la dosis de cada una en sus pasos, en su cadera de niña, en su cintura expuesta, en su ombligo estrecho, hondo y vertical. Supongo que un poco borracho, bailé tras ella. Una yegua y la sombra de una yegua; olor de azahares.

Es hermoso cuando la gente te desea, dije. Brillas. Todos te desean.

Tú también brillas. Y cállate un poco más.

Otra música. Pornosicodelia. Sus manos delicadas al final de sus brazos de niña, sobre su cabeza, frente a mi cara. Oí la voz que me había invitado a venir. Era de un hombre. Me sonrió y le sonreí. Lo suficiente como para que se acercara. Nos abrazamos como viejos desconocidos y le dije que gracias. En la mano, me dejó otro vaso de vino negro.

¿Lo conoces?, me preguntó Paulina.

Antes conocía a todo el mundo.

La calle sola y larguísima. Los edificios cada vez más viejos. Recordé: la calle que solía andar llevado en ristre cuando el perro aún estaba vivo. Recordé: alguien me decía en broma que yo estaba enamorado de Mascoto. Recordé: yo decía Sí con una ternura tan verdadera que ese alguien quedaba turbado.

Recordando a Mascoto en la calle donde lo paseaba cuando no había muerto, me topé con el hombre gordo, demasiado viejo para seguir jugando con un yoyo verde.

¿Conocías a todo el mundo, y más tarde qué, Raúl?

Vino mi carrera.

¿Qué haces?

Nunca adivinarías. ¿No quieres nada de beber?

Jugando a ser sublimes, con el vino negro corriendo de boca en boca, nos ganó una risa solar, irremediable. Pintitas en mi camisa. Su vestido era negro y corto, capaz de beber sin consecuencias.

Te volviste a reír y yo sigo siendo putísima. ¿Tienes alguna excusa nueva?

Su mano derecha (Rolex auténtico, de hombre) a la cadera. Los ojos (capaces de matar y morir al mismo tiempo) entrecerrados. Los dientes (dientitos) brillantes. La noche de luto, faro muerto. Silencio.

¿Qué crees que soy?

¿Me preguntas qué pareces o qué creo que eres?

El yoyo subía y bajaba con precisión pero el hombre demasiado viejo y gordo no parecía dispuesto a nada más. Trucos, digo. Lo miré desde los pies a los ojos, hasta obligar a su mirada obtusa a enfocar la mía. Cuando el yoyo murió ahorcado y de pasmo, me acerqué.

Le puse la (brutal) palma de la mano izquierda sobre el hombro. Recorrí la tela sintiendo el leve acojinado de la hombrera, el tacto indecente de la camisa de poliéster puro, el pellejo del cuello fofo, mal afeitado.

Metí un dedo (cordial) a su oreja.

¿Qué soy?
Haces cine.
No.
Los pelos, la cerilla. El lento retirar de mi dedo oído afuera. El yoyo muerto, pendulando apenas. Ahora oyes muy bien. Mis labios casi al ras de su piel llena de arrugas Quiero que me dones un diente, dije, lento y erizado. Y le extendí la palma de mi mano izquierda, mostrando las ampollas.
¿Entonces?, dijo Paulina.
Quiero darte algo.
¿Cuánto quieres recibir?
Saqué los aretes en forma de trébol, blanquísimos y pequeños. Irían bien con sus orejas de (clarísima) concha marina.
Soy el peor dentista del mundo.
No eres dentista.
Míralos.
Se los puso.
Voy al espejo.
No te escapes.
Sonrió en vestido azul: su vestido negro y corto, de pronto azul y largo y victoriano, toda Paulina (aun) más niña. Dio dos pasos y me sentí solo. No sé cuánto tiempo pasó hasta que me llegó una mano a la espalda, un vaso lleno de vino negro y la sonrisita, puros labios, del hombre que me había invitado a la fiesta. Brindamos en silencio. Un silencio de música que casi nos hacía bailar.
Me estoy quedando calvo.
No entendí si en realidad lo que deseaba era preguntar ¿Me estoy quedando calvo? Era muy bajo. Se estaba quedando calvo y era feo y estaba vestido de negro. Caspa en los hombros.
Alberto Cruz.
No me gustan los hombres.
No lo quería a mi lado cuando volviera Paulina.

No soy puto.

Los putos me parecen bien. Los hombres me molestan.

¿Por qué me violentas?

Sólo soy franco. Me gusta la verdad.

Paulina se acercaba. No sólo eran sus miradas, era otra luz, otro humor. El hombre (bajo, calvo, con caspa en los hombros de su saco negro) desapareció, o se me desapareció. Sin embargo, no dejé de sentir la huella de su mano en la espalda. Terminé de beber mi vaso de vino negro.

¿Sabes a qué fui al espejo?

A mirar lo que yo miro.

Casi.

Di.

A ensayar lo que vas a ver.

Un tren negro entre nieve. Lejos. Cada vez menos lejos.

Te quiero, dijo ella.

Casi no me miró. Dijo No entiendo, pero los ojos se le mojaron. De verdad no entiendo. Se buscaba la inexistente cartera con la mano izquierda. El dedo índice de su mano derecha seguía amarrado al yoyo verde muerto. No te creo, pero te lo voy a decir una vez más: quiero que me dones un diente. Estás demasiado gordo y viejo para correr.

Con delicadeza aflojé el nudo que unía su dedo al hilo de cáñamo, deslicé el anillo hacia la punta y tras elegir con cuidado lo coloqué alrededor de una muela que conservaba toda su blancura sorprendente. Cerré el nudo en la base de la pieza y enrollé el resto de la cuerda alrededor del yoyo verde.

¿Y entonces?, dije.

¿Y entonces?, dijo.

Yo también te quiero, estoy feliz contigo pero —no supe decirle eres una niña hermosa y eres buena y juegas maravillosamente a la femme fatale— ¿y después?

Después te mueres. Hay poquísimo tiempo.

Está bien. Te quiero. Dame más besos.

Me dio más besos. Pan nuevo.

Ahora, no cierres la boca. Usé el yoyo para poder tirar mejor. El nudo se concentró en la base de la muela, desgarró la encía, quebró las raíces: encontró la respuesta a su ecuación original. Cero punto cero. Le dejé los dieciocho pesos que me encontré en la bolsa. Un helado de limón te haría bien. También le devolví su yoyo verde. La noche parecía pesar mucho menos. Volví paseando. En casa, arropé a mi hermano, guardé la botella de whisky casi vacía y me puse a trabajar. En la madrugada, el anillo estaba listo. La corona de la muela empotrada en plata vieja. Desenterré a Mascoto y se lo puse alrededor de la cola. Luego lo volví a guardar bajo la misma tierra donde desde algunas horas antes habíamos guardado a Mascoto para siempre.

Besos. Todos los besos. Brillábamos.

Ese lunes al despertar, tras haber mirado mis dos manos, convencido de que no estaba en mi cuarto, sentí que en la boca me nadaba algo más que el estiércol seco del alcohol envejecido. Saqué la lengua y con el índice de la mano derecha recuperé el dibujo en plástico de un iris de ojo azul: una lentilla abandonada en mi boca.

Ese lunes al despertar, tras contemplar un ojo falso que no me contemplaba, decidí levantarme de la cama para hacer todos los descubrimientos de una buena vez, pero no encontré ninguna otra cosa extraordinaria.

¿Vamos a ser serios?, dijo.

La besé muy lento. Le cubrí la cabeza con la mano derecha y la espalda con la mano izquierda. Toda la cabeza, la espalda completa. Cuando nos retiramos la miré hasta sentir que sí, de verdad era bueno, aunque pensara que ya no.

Ven, dijo.

Su mano en mi mano. Timón perfecto.

Casi a la salida, nos encontramos con el primer espejo de nuestra vida.

Imagina dieciséis pisos de escaleras, dijo, y un pozo central: eso tengo en la panza.

Somos hermosos.

Éramos hermosos.

Fuimos hermosos hasta que se nos apareció el pequeño hombre de negro. Ligeramente más alto que Paulina: mucho menos alto que mis hombros.

No te vayas todavía, me pidió. Y una vez más, pronunció mi nombre, lento y erizado.

Le sonreí. Paulina me presionó ligerísimamente la mano y nos fuimos. Afuera parecía 1950. Había llovido y las calles estaban solas.

Orión, dijo.

Venía a este parque a sentarme a los columpios y a estar triste.

Con alguien más.

Estábamos tristes juntos.

Mascoto. El perro muerto. Muertísimo.

No me lo cuentes.

No era una mujer.

No importa, no quiero saber. Vamos a tu coche.

¿Quieres que nos robemos alguno?

No.

Entonces es aquél.

Ella me dirigió por la ciudad. A través de las crueles décadas que no habían sido capaces de perpetuarse en belleza. Nos perdimos.

Si llegamos es un poco suerte.

¿Sabes a dónde vamos?

Sí, pero no estoy segura de querer llegar. Siempre violo a la gente en esa casa.

Me dieron ganas de pisar el freno. Todos los frenos.

Da igual si no me violas. De hecho preferiría que no pasara nada.

¿Por qué? La siguiente a la derecha.

Todavía no me aprendo de memoria ninguna parte de tu cuerpo, ni siquiera tu cara, no sé bien si caminas lento o rápido, no te he deseado. Me gustaría estar solo y desearte, caminar mucho, sentir nostalgia y tristeza de ti.

Da vuelta en el semáforo.

¿De qué te ríes?

Perdón fue culpa mía, la vuelta era para el otro lado.

Y no me dejaste seguir. ¿Quieres/

Violarte? No. Sí. Vas a enseñarme qué desear.

¿Siempre haces todo lo que quieres?

Es aquí.

La hormiga que pasea su reflejo por el platillo reluciente de una balanza hipersensible. La aguja de la balanza escapando a su indiferencia. La punta de esa aguja corriendo por el centro de la espalda, en dirección de la memoria. Recuerdos de otra vida, cuadros, sueños repetidos en la infancia.

Sí, aquí es, dije.

Usó su llave. Desde antes de que encendiera la luz, supe que todo iba a ser distinto, mejor, como el recuerdo.

Ésa es la cocina, dije, hay un baño bajo la escalera, hay un estudio y dos recámaras en la planta alta. La tuya es la primera puerta del corredor. Da al patio, tiene ventanas altas, papel tapiz con diseños de aves.

Flores de lis.

Se quedó mirándome; intentaba no preguntar.

Mi hermano y yo veníamos a ver cómo la casa encantada se iba vistiendo poco a poco.

Con otro perro, el penúltimo, El Santo.

Cuéntame a tu hermano.

No. Un día lo conoces. Vamos adentro, por favor.

Adentro, en esa casa que conocía desde la infancia, la luz era color ámbar, como si llevara guardada mucho tiempo. No sólo los cuadros sino también los muebles, las paredes y el aire mismo estaban impregnados por una pátina lentísima que enamoraba la mirada hasta obligarla a detenerse. Sala, comedor, cocina, arriba seguramente el estudio y las dos recámaras, como antes, como siempre. Sin embargo, la curva continua y delicada (pero indestructible) de las sillas vienesas; sin embargo el amanecer capturado por el Doctor Atl; sin embargo, las sartenes pesadas en su atemporalidad casi de piedra; sin embargo, las esmeraldas y la madreperla en la plata de una cigarrera; sin embargo, Paulina.

Ese lunes al despertar, o al poco tiempo de despierto, me encontré con un levísimo recuerdo, o más bien con su huida. El recuerdo no supe si de la noche o el sueño perturbado que me visitó durante mi dormir de medio día. Inútil obligar al regreso a los fantasmas, hay que invocarlos con cierta coquetería, aparentando indiferencia.

Ese lunes al despertar, tratando desesperadamente de no mostrar desesperanza, me di cuenta de que el recuerdo de mi sueño (o de alguna parte de la noche recién acontecida) producía un leve zumbido.

Salí del cuarto y por una de las casas de Paulina con paredes casi blancas (cenefas pintadas al fresco), piso de madera y muebles tan escasos que casi daba una impresión de museo, busqué con éxito la fuente del sonido que no dejaba de producir aquel esbozo de memoria.

Ese lunes al despertar recorrí desnudo una casa (de Paulina) en la que jamás había estado, y de pronto me encontré (con un pájaro en la mano izquierda y una lentilla azul en la derecha) frente a un refrigerador indiferente.

Ese lunes al despertar presa de una sed atroz, me di cuenta de que había recibido dos regalos (falsos: pagos) que guardé en el congelador donde me esperaba un molde lleno de hielos y el recuerdo de un sueño perfecto.

Feliz, regresé a la recámara, me puse la ropa y tras cerrar la puerta lentamente, me fui a trabajar.

Hay fantasmas, dijo.

No podía verlos, pero dije que sí. Una mano querida acariciando mi radiografía.

Huele a ti.

Es una de mis casas.

¿Cómo son las otras?

Perfectas.

¿También?

Diferente.

Las voy a conocer, dije. Y era muy verdad.

Ven, quiero que subas a mi cuarto.

Su cama era mínima, una cama de niña (y aunque todavía hoy sé que no estaba hecha de latón, casi es seguro que en mi recuerdo futuro terminará por transfigurarse). Además del escritorio (secreter será más tarde), un armario con luna ovalada, un cuadro cubista firmado D. M. Rivera, y la ventana que daba a su árbol de la guarda.

No me regales esto.

Su infancia.

Vas a enseñarme qué desear. Tienes que saber todo.

Deséame, dije, pero era demasiado obvio. Me reí. Somos un melodrama decimonónico.

Mira.

En su armario había muy poca ropa. Me estaba mostrando un camisón lleno de encajes, de mangas largas, cuello cerrado, hasta los tobillos.

¡Somos un melodrama decimonónico!

Nos reímos hasta quitarnos la ropa. Hicimos horas de amor. Mar. La palabra mar en unos diarios. Mar.

¿Te vas a casar conmigo?, dijo.

Cuando me conozcas.

Ven.

Estoy cansado.

Quiero que duermas.

Me estoy durmiendo.

Se puso de pie. De pie era más niña. El pelo púbico (muy negro, muy corto, pagano) parecía una mentira fácil de olvidar. La cadera, los senos y las nalgas eran casi impúberes. Se vistió con rapidez, entusiasmada.

Anda.

Me puse la ropa con suma pereza. Quería dormir en esa cama, con Paulina. Todo ese lunes. Al final me puse los calcetines, los zapatos.

En las escaleras ella dijo Hay fantasmas.

Ya me lo habías dicho.

Están ahorita.

Terminamos de bajar.

Dame las llaves. La miré sin enterarme. Las llaves de tu coche.

De puntillas me acarició el pelo. Como lo había acariciado antes, como tendría que acariciarlo siempre. Siempre.

Duérmete.

Alcancé a ver cómo ajustaba el espejo y se quitaba los zapatos. Ya sólo oí cómo movía el asiento hacia adelante, hacia arriba (eléctrico, caro), el freno de mano. Entresoñé (o en el recuerdo me he obligado a imaginarlo) el encendido (poderoso, impecable).

Ese lunes al despertar, encontré un pájaro en el hueco brutal de la palma de mi mano izquierda. Un pájaro muerto. Quebrado. Era el regalo de Paulina. Un falso regalo, un pago. Había dicho Vas a enseñarme qué desear.

—Santini, tu hermano Raúl es bueno.

—Es un cuento, imbécil.

–¿Imbécil?

–Perdón Ana, perdón.

–Buenas noches.

–Ana, Raúl se escribe bueno, pero no es: te está haciendo lo que hacía siempre ¿me entiendes Ana?

–Me dijiste imbécil Santiago.

–Ana, perdón, pero es que no es verdad, no las añoraba así, nunca decía siempre o si lo decía era mentira, ¿sabes qué pasó con Paulina, quieres saber en qué terminó?

–En tu novia ¿no?

–No, no sólo en mi novia, escucha:/

–No quiero.

Viniste de nuevo, Tigre Blanco, a no encontrarlo, era viernes y te dije que sí, puse música, te quité los zapatos y te besé los pies. Dije, te dije Hueles a vainilla y a desierto, y sé que eres muy inteligente.

Hay un auto rojo y dentro del auto rojo, una mujer muy blanca y de pelo negro que pone una canción y canta con los ojos cerrados.

—¿Una mujer muy blanca y de pelo negro?

—Sí, una mujer muy blanca y de pelo negro, jovencísima, que no eres tú.

—Yo no soy blanca, Santiago, soy del color de la arena. Y ya tampoco soy muy joven.

Me contaste esa tarde y otras tardes de tus hermanas y de tu hermano secreto; me contaste de Malenita, de Carmen, de Julieta y yo las recordé en la libreta de mi hermano; me contaste de Eneas, cómo lo habías buscado a partir de las agendas secretas de tu padre y al encontrarlo, en San Francisco, te habías hallado casi a ti.

Veo un auto rojo que se estrella. La mujer abre los ojos un poco antes, lo suficiente para ver el otro auto ya enfrente. Inevitable. Es una pesadilla. Pero no sólo es una pesadilla.

Me contaste cómo habías viajado en autobús hasta Tijuana y luego, pidiendo aventón, caminando, escondida entre refrigeradores y curándote el hambre mascando cacahuates de unicel, llegaste a Oakland. Me dijiste que, en tu boca, el unicel rechinaba y me enseñaste tus dientitos.

Leo de nuevo ese recado en una pesadilla.
Fui a tomar café.
No dice nada más.

Me mostraste el trocito de directorio blanco con el nombre de tu hermano, me mostraste el boleto de metro que decía Bay Area Rapid Transport, me mostraste su fotografía.

Veo un bastón. Entre la nieve un bastón.

Cambié de disco.

Veo unas escaleras. Son las mismas, las que cansinamente, repetidamente descienden y ascienden. Pero ahora las veo en una de las pesadillas. ¿Es de noche? ¿Es el momento en que están a punto de parar? Las veo con una mirada imposible para quien fatalmente va parado en las escaleras.

Me dijiste que Eneas, tu hermano, era un imbécil, un gringo; me dijiste que era hermoso. Y luego te quedaste callada antes de preguntarme si nos podíamos besar. Esa vez te dije que sí. Como casi todas las demás veces, te dije que sí.

Es de noche y muy lejos, alguien toca unas cubetas de plástico como si fueran tambores.

Le dije por teléfono a mi hermano que para la cena, para tu última cena, llevabas puesto un vestido negro y corto, unos aretes de marfil y que parecías un tigre blanco.

Veo la felicidad. Es así: el muchacho y la muchacha caminan por un bosque nevado. Todo está en silencio y ellos miran cómo beben los venados y los corzos al otro lado de un río. Los animales los miran pero no huyen.

Le conté cómo había ido al velorio y había dejado que tu madre creyera que yo era mi hermano. Dijo Tú eres Raúl. Me dijo Te amó mucho. Me dijo Nunca me contó que tuvieras hoyitos en las mejillas mijo. Sonriendo de la manera más devastadora, dejé que tu madre desesperada me creyera mi hermano y me abrazara y llorara sobre mi traje perfecto.

Veo también la tristeza: un día ella va conduciendo y al lado del camino hay un venado que los mira pasar desde la muerte.

Todo para después contárselo a mi hermano: Me dejaste todo, cabrón, porque en el jardín de *mi* casa sigue enterrado Mascoto, porque me quedan todavía sesenta y cuatro de los dientes que puliste y aunque te hayas llevado tus libretas, a las mujeres me las quedé yo cabrón.

Quizá no es exactamente lo contrario de la felicidad. Porque él llora y ella llora y se acercan un poco más y apagan el radio durante un largo rato. Quizá una es la felicidad alegre y otra una felicidad triste.

Le dije que llevabas puesto un vestido negro, unos aretes de marfil, y que habías sufrido, que no había sido inmediato, que los de la ambulancia habían ofrecido echar un tequila conmigo para contarme tus últimas palabras.

−¿Te puedo preguntar algo?
−Claro.

—¿A qué hora ves la trama, Santiago?
—Mucho después. Primero necesitas decidir el género.

Le dije que no lo habías perdonado y que ahora tenía que obedecerme.

—Yo ya vi cómo lo hace el chabón.

No veía mucho a Federico fuera de los seminarios. Había entrado al mismo tiempo que Miguel al programa pero ya no eran tan amigos como antes.

—Compartimos unos cuantos libros pero supongo que si uno es futbolista y al otro le gusta el beisbol, no hay manera de entenderse —dijo Miguel.

En realidad el problema era su mujer, la Claudia, así con artículo, como se usa en Ecuador, aunque la Claudia fuera argentina. La Claudia odiaba todo lo argentino salvo a Federico, quien en realidad había nacido en Bolivia. La había encontrado en una fiesta de salsa y la había sacado a bailar y la había metido a su cama y se había casado con ella a la semana siguiente.

—Yo sé que es difícil bancársela.

—Supongo que si vas a una fiesta de abogados con ella, tú eres el raro.

—Pero si yo soy encantador en todas partes nene.

—Para de mamar cabrón, me estabas diciendo lo de Kweelen.

—Ah sí, por ahí yo me equivoco pero me parece que ya entendí cómo le hace, mirá, se sienta nomás en un rinconcito así con su trago y cruza la pierna a la Mastroianni y le sonríe a la primera que pasa como si la hubiera estado esperando toda la vida, luego le cuenta las obras completas de ¿cómo se llama ese médico mexicano?

—¿Mariano Azuela, Elías Nandino?

–No chabón, el amor de la vida de Lucio.

–Ah ya.

–¿Cachaste cuál?

–Sí.

–¿Lo leíste?

–No.

–Bueno pero para qué te estoy diciendo si vos te ganaste el premio mayor.

Federico estaba enamorado de Ana. Igual que todo mundo. Hasta los que Ana no aguantaba.

–¿Baila bien no?

–Ah claro, yo creí que los mexicanos todos eran unos troncos, pero ya vino éste a salvarles la facha.

Casi sentía como una traición no estar hablando con Miguel. Pero me había distanciado un poco de ellos.

–¿Tú seguís haciendo la tesis con Lopa?

–¿Qué pasó?, ¿cómo que con Lopa? Con Romaña güey.

–Bueno es que los veo tan amigos de Lopa y luego vos que estás a la última con las teorías.

–Ana es la amiga de Lopa, y yo ni de ella ni de su escuelita.

–Del resentimiento dice Bloom. Se manda unas cagadas de miedo pero tiene lo suyo el gordo, sobre todo lo de antes.

–Ya.

–Te decía entonces: la baila, la regresa, le cuenta y es como si ya no viera a nadie más. La chabona le pregunta ¿pero no te volvés a lo de Miguel y Kay? Y éste la mira nomás con cara de becerro. Vos sabés lo que es becerro ¿no?

–Acabo de aprenderlo.

Federico podía hablar como persona pero también como chico de las villas; en algún momento contaba estas historias tormentosas de cómo vivía ahí, pero luego llegó Lee que lo conocía de la escuela y nos dijo que era de Palermo Viejo.

–Oye y por qué no trajiste a la loira.

—Está enojada.

—Ah pues hora del swing ¿viste?, te quedás aquí y cuando llegue la Claudia le rascás los coditos y mientras yo me voy a lo de la loira.

Federico tenía un departamento hermoso gracias a la Claudia que pagaba la renta, y así se podía comprar todos esos libros italianos y franceses que tenía.

—Numerados eh, así que no se te ocurra robarme.

—Estás peor que Romaña.

—Mirá, yo ya terminé con los idiomas así que a Rilke y a Homero los voy a tener que leer siempre en traducción; y las traducciones que tengo son las que me gustan así que no hinchés.

—Ibas ir a mear ¿no?

—Bueno pero nada de andare via porque tengo algo serio que decirte.

Meó con la puerta abierta y antes de sentarse de nuevo en la sala llenó de nuevo nuestras copas de vino.

En su casa corría el francés, y no barato, en vez del uruguayo, el chileno, el chileno de nosotros, los estudiantes becados.

—¿Por qué se enojaron vieji?

—Por mi hermano.

—Mirá vos, no sabía que tenías un hermano.

Yo no supe nunca cuántos hermanos tenía Federico ni si sus padres vivían ni en realidad nada que no fuera lo de Palermo Viejo, su historia con la Claudia y ese cachito del currículum que uno pasea por el posgrado.

—En Princeton el primer día te muestran dónde queda el consultorio del psiquiatra y te ponen a que escribas un resumen práctico de lo que trata tu tesis de doctorado como para contarle al primer pelotudo que te lo pregunte.

—¿Te contó la Justusson?

—No, estuve.

—¿Y?

96

—Me echaron por negarme a aprender alemán.

Uno no sabía qué creerle a Federico porque podía contar las mentiras más extraordinarias con la mejor cara de palo. Pero luego contaba la verdad con la misma cara y cuando pensabas que sabías que no era posible lo que acababa de decir, sacaba el manuscrito del cuento de Piglia y te enseñaba las correcciones que le había hecho Saer.

—¿Qué era lo importante pana?

—¿Pana?

—No, nada, perdona. Un lapsus venezolanus.

—Tenés prisa.

—No.

—Te regaña tu señora.

—No quiero que se alargue la bronca.

—¿Es la primera?

—¿Perdón?

—La primera vez que bronquean.

—No. Pero sí la primera que peleamos tan fuerte.

—Tranquilo, el matrimonio aguanta más que el papa. Aunque ya sé lo que es perder lo invicto. Se acabó el edén. A sudar.

—Bueno acábame de contar lo de la fiesta.

—No, decime vos de tu hermano.

—Es lo mismo. Exactamente lo mismo.

Lo único que no dije fue que su hermano, el que siempre dice que sí, había tenido la culpa de tu muerte porque esta vez había dicho que no. Yo no soy mi hermano. Él hacía cosas: escribía libros, fundaba negocios, viajaba, estaba perpetuamente construyéndose. Yo en cambio iba al mercado y escogía tiernamente percebes y apios y ligeras vinagretas para preparar alcachofitas niñas, yo compraba vinos de juguete, licores para navegar la media tarde, panes grandes y densos para partir con dos manos y comer en compañía.

Veo al muchacho llegando a un café. En el café hay un pasillo largo, al aire libre, adoquinado con piedra rosa, con foquitos colgados de alambres y plantas en macetas.

¿Puedes abrazarme siempre?, me dijiste el siguiente viernes y yo no te dije que sí, pero te abracé y te abracé, y puse un brote de pasto tierno entre tus labios y te acosté en un cuadrado de sol y cubrí tus ojos con la palma de mi mano izquierda y te pedí que hablaras. Hablaste mientras yo te daba de comer uvas, les había quitado las semillas para rellenarlas de queso cabrales. Hablabas de mi hermano, Tigre Blanco, y yo veía tus pies perfectos, de vainilla y desierto, iluminados por las cinco de la tarde. Y no fue ese viernes cuando me enseñaste cómo te hacía el amor, ese viernes me hablaste de cómo era cuando se portaba lindo, cuando se dejaba ser bueno en una de tus casas y yo te dije que sí toda la tarde.

En el café, dentro del café, frente a la barra donde hay pasteles y panes dulces relucen las máquinas del exprés y la espumadora del capuchino. Hay dos mesas ocupadas. En una charlan tres mujeres. En otra está la muchacha con un hombre. Un hombre que se ríe con la boca abierta y que cuando ve al muchacho que fui se levanta para abrazarlo.

Yo no deseaba. Podía mirar la televisión o leer o preparar suntuosas natillas secretamente envenenadas con xtabentún y moras negrísimas del Canadá. Andaba por mi inmovilidad con un teléfono metido en el bolsillo y los sentidos siempre prontos a la puerta, que si era martes revelaba a Julieta, la hermana de Malenita y de Carmen y tuya, Tigre Blanco. A Julieta le gustaba asombrarse con todo y pedía que la enseñara a estarse quieta, pedía que le explicara los deportes televisados, que le leyera poemas de Pedro Salinas. Julieta necesitaba saber cómo se hacía la tarta de higos que se horneaba en la cocina. Yo decía que sí, siempre que sí; a cambio ella me otorgaba el secreto de su maquillaje, sus perfumes combinados, su caminar irresistible: percibía sin problemas mi rebanada intensamente homosexual pero no le obstaba para llevarme a protagonizar diferentes fantasías amorosas que poseían como impronta común la negativa absoluta de mi hermano a compartirlas. No quiero saber escribir: cogíamos como mi hermano no quería coger. Pero no borro la versión anterior. Con todo, no soy mi hermano. Julieta se quejaba explícitamente en sus ruegos de la rutinaria perfección de mi hermano como amante. ¿A ti no te importa copiar esto? Y esto era una figurilla de barro olmeca, un atleta, que había descubierto cuando trabajaba en las bodegas de Antropología. Y yo decía que sí, que fuéramos una figurilla de barro o una adaptación libre del Kamasutra o un sueño de adolescencia, yo decía que sí porque nunca fui Raúl Ojesto.

El muchacho trae puesta su chamarra roja, una camisa de franela y unos pantalones de mezclilla. El hombre trae unos pantalones de lana gris oscuro con rayas muy finas, blancas, un suéter de cashmere negro de cuello alto y un saco de cuero, largo. Se abrazan. El muchacho besa a la muchacha en la boca. Velozmente. Nerviosamente. Se sienta entre el hombre y la muchacha, cerca del bastón que descansa en el respaldo de la silla del hombre.

Yo no deseaba, no pedía nada a ninguna, a ninguno, les aceptaba todo, les decía que sí. No hablaba de mi vida; yo no existía. Cuando me preguntaban, respondía No soy mi hermano, yo sólo digo que sí. Y me encantaba saber que era lunes porque los lunes venía Carmen, que tenía prisa crónica, y fue la primera que dejó de preguntar por él. Carmen me obligaba a pararme mirando la pared del jardín y me quitaba la ropa y me chupaba, tratando de que le rogara; yo sólo le decía que sí, y Carmen me pedía entonces que la levantara y giráramos y le hiciera el amor contra el muro. Llegaba justa para que oyéramos el fiero diálogo de los pájaros y el crepúsculo le quemara la mirada. Ella propuso que habláramos de los hermanos, de mi hermano y de Malenita y de Julieta y de ti Tigre Blanco. Ella enseñó a Mascoto a respirar con el hocico cerrado. Cuando sentíamos el fresco del pasto recién anochecido, veía el reloj, recuperaba su prisa, me dejaba un papelito doblado para mi hermano y se iba. La casa quedaba brillante, azul, salada. ¿Nos vemos el siguiente lunes? Sí.

Las mujeres miran la mesa donde el hombre habla y la muchacha se ríe y el muchacho sonríe, sorbiendo su café.

Yo no deseaba, yo no mentía; yo sabía cuántos pájaros vivían en cada trueno, en cada pirul, en el inexplicable castaño que había arraigado en la acera de enfrente. Recordaba los gustos, los perfumes, los miedos; sabía que el miércoles el timbre no sonaría. En su lugar, la ventana chispeaba con piedritas exactas, no muy insistentes, casi temerosas de lograr su cometido; y Malenita cerca de la ventana, dejando que por una pequeña grieta se colara el olor denso a iglesia de pueblo frutal. Tras el vidrio translúcido, la silueta cansando un pie distinto a cada momento. Decía que sí y me acercaba a la puerta, abría sin ruido para no perturbar a Malenita, que entraba, miraba todo tratando de detectar cambios o reconfirmar recuerdos. A ella le gustaba el ritual y a mí me gustaba con ella. Se quitaba la ropa con decisión en cuanto oía el seguro innecesario de la puerta de mi cuarto. Se quitaba la ropa parada en la cama y me llamaba a curar sus cicatrices con la memoria de mi lengua. Abría las piernas y yo la esperaba con inmovilidad perfecta, sobre la que su clítoris se desperezaba como el brote más lento de una flor marina. Sólo entonces Malenita se desataba en las obscenidades violentas que nos divertían tanto. Antes de irse me preguntaba, hecha una niña, si ella era la más bonita del mundo y yo le decía que sí antes de cerrar la puerta, sin hacer ruido y sintiéndome hondamente bueno después de tanto decir que sí.

—¿Santini, no te cansa la monogamia?

Nos habíamos reconciliado. Y era de nuevo luna llena y me estaba preguntando.

—Estoy contigo, casado y quiero estar contigo, casado.

—Pero es que antes tuviste cincomil novias.

—No cincomil.

—Pero muchas, muchísimas más que cualquiera de mis amigos.

—Tus amigos no tenían novias jamás, iban al meat market y cogían.

—¿Por qué te enoja si yo no era parte del menú?

—Ya sé, a ti te platicaban. Yo creí que los del queso no tenían oportunidad.

—Te explico San Bobo: como jugaban futbol americano eran populares.

—¿Sabes?, yo pensaba que nunca me iba a casar, hasta rechacé una oferta de matrimonio de una mujer hermosa.

—Cuéntame.

—Otro día.

—Me estás haciendo trampas.

Habíamos regresado a nuestros lugares favoritos, pero el padtai del restaurante de siempre no había estado tan bueno. Y después de cenar, en vez de regresar directamente a casa, nos habíamos ido al café que se convertía en bar por las noches y nos habíamos tomado dos vodkas yo y dos vodkas ella.

—Oye, quién era el de la grabadora, oí tu voz y su voz pero no lo reconocí.

—¿No reconociste a Lucio?

—No, como al final no tomamos ningún seminario juntos te juro que se me olvida cómo habla.

—¿Qué cuenta?

—Se peleó con Federico.

—¿Cómo?

—Parece que Federico está yendo al seminario de Romaña como oyente. Dice que Federico se le fue encima; que en cuanto opinó se puso a despedazarlo.

—Seguro no tenía nada que ver con su participación.

—¿Por qué lo dices?

—Creo que odia a Lucio.

—Pero por qué, más bien tendría que agradecerle que no se tirara a la Claudia cuando se puso borrachísima y trató de meterlo al baño San Bobo.

En la casa habíamos reacomodado los muebles de la sala. Ana había tirado la vela gastada y había puesto las flores secas que a mí me gustaban en el florerito de un barro verde que nos había regalado Kweelen justo para flores secas.

—Say what?

—Siempre ha sido medio slutona.

—¿Te cae enana?

—Lo que pasa es que no quieres ver porque ahora andas de amigo con esos dos pero ése es su problema de siempre, o si no por qué crees que Federico se ha agarrado a golpes con medio mundo.

—Ana a veces de verdad sólo queda pensar que soy un marica.

—Lesbiano, como escribiste en tu response paper.

—Claro y luego la clase se me echó encima y la Justusson los dejó tiburonearme.

—No entiendo tiburonear.

—Pues como wolf down pero con tiburón.

–Bobo.

–Me gusta lesbianamente nuestra monogamia.

–Bobo.

–Dime tú enana ¿te gusta, te seguimos gustando?

Habíamos cambiado los sillones de lugar, y Ana decidió quitar muchas de nuestras fotos que estaban colgadas en las paredes. Ya no las reemplazó con nada.

–Lucio quería preguntarte si íbamos de nuevo a Second Date.

–¿Lucio quería preguntarme a mí? Pues vamos ¿cuándo?

–El jueves.

–Pero el jueves quedé con Miguel y con Kay ¿no puede ser otro día?

–El viernes es el cumpleaños de la alemana.

–Creía que ya había acabado con ella. Pero si quieres vayan ustedes; te llevas el coche y Miguel y Kay luego me bajan a la casa.

–¿No te molesta?

–Si me traes una sorpresita, no.

–Una sorpresita como algo de George Eliot.

–Me compras algo de la Jorja y se jodió mi semestre. Por cierto ¿les gustaron los libros que les compró Lucio a Miguel y Kay?

–Supongo que sí, lo que no les gustó tanto es quedarse solos.

–No me has contestado.

Y puse un montón de clavos en la pared de la cocina para colgar nuestras sartenes, aunque a veces al bajar una se nos cayeran tres. Y Ana plantó nuevas yerbitas de olor en las macetas.

–¿Si me gusta quienes somos?: más que nunca.

–¿Te digo algo?, cuando recién eras amiga de Lucio me dio terror pero ahora me gusta, creo que está lindo.

–Aunque/

–No digas.

–You will have to face the music anyway.

—Ni me lo recuerdes.

—En realidad no tienes que ver a Raúl si no quieres, al final el que lo invitó fue Lucio.

—¿Te puedo tomar unas fotos?

—No, porque me van a salir los ojos rojos.

—Compré un rollo en blanco y negro.

Nunca habíamos pasado una noche de insomnio y luna llena en otra cosa que no fuera nuestros cuerpos y nuestra charla pero me gustó tomarle veinte fotos y dejarla tomarme cuatro, cinco. Sin ropa, aunque lo suficientemente pudorosas para que no hubiera problemas al revelarlas. Lo suficientemente pudorosas para que hubiera dos que después le mandamos a su padre, a su hermano, a su tía.

—La de Raúl se la doy cuando venga.

—Me gustas así de valiente mighty lesbiano.

—Deja de chingar zopenca.

—Como quieras pero sólo después de que me dejes decírtelo una vez más. Me gustas mucho porque en el centro, en el fondo, eres muy bravo.

—Valiente.

—¿Bravo no es como los toros que matan?

—Sí: enojado y pendejo.

—Y noble. Pero yo te voy a cuidar.

—¿Te conté la vez que mi mamá nos llevó a los toros? Hubo uno que se saltó la barrera y llegó hasta las gradas de la plaza.

—Claro mentirete.

—Es verdad.

—¿Y cómo lo bajaron de las gradas?

—Creo que no les gusta el cemento y se regresan a la arena, a que los maten.

—¿Pero no hay veces que los perdonan?

—Los indultan muy de vez en cuando. Si fueras una vaca de lidia te matarían igual, no les importa nada el salto de altura.

—Uy Santini se me había olvidado, prende la luz.

—No, qué hueva, se ve bien con la luna.

—Yo la prendo. ¿Listo?

Todas la noches de luna llena eran extrañas, pero ésta de una manera distinta, como si además del insomnio nos estuviera azotando una tormenta de energía, una necesidad de hacer. O bien un miedo a estar en paz, juntos, hablando muy lentamente, como siempre.

¿Tendría que haber sabido?

—Mira.

—No me jodas ¿es el atril enana?

—Llegó hoy.

—¿Dónde lo tenías?

—Lo guardé en el clóset porque si me daba tiempo quería armarlo pero llegaste muy temprano bobo.

—Bueno es que apenas vi a Miguel un rato. No nos quedamos hablando mucho.

Además de la caja con las piezas de madera lijadas y barnizadas, con los tornillos en una bolsita de plástico con cierre de presión y los dibujos minuciosos e infantiles, venía un vale de Amazon. Para que compren un diccionario.

Muy al principio su papá le había preguntado si mi papá pescaba. La había oído decirle Nunca se llevaron muy bien daddy.

—No es eso exactamente enana, es que siempre me dio la sensación de que no se conformaba con nosotros, con ser papá.

—Pero igual sigue con tu mamá; no se compró una chaqueta de cuero y una moto para irse con la cajera del seven eleven.

—A lo mejor porque no pusieron a tiempo el seven eleven de mi casa.

—Le dio emoción que hubiera sido futbolista, dijo que son buenos genes.

—Pero nunca fue profesional, vamos, ni de segunda división.

Después había dejado de preguntar.

–¿Cómo te imaginas a mi papá?

–Normal.

–Dime más.

–¿Me estás preguntando si creo que se parece a Raúl?

–Vete a tomar por culo.

–Me gusta cuando hablas como español.

–¿Me contestas? Nada más dime cómo te lo imaginas.

–¿Todo, físicamente también?

–Vale, si quieres.

–Siento raro el insomnio de hoy.

–How so zopenca?

–No sé, sí sé: puedo adivinarte lo que me quieres preguntar y no me has preguntado, es más, creo que por eso se te ocurrió lo de tu papá.

–Te lo juro que me dio curiosidad enana.

–Te creo, pero yo sé por qué.

–Órale telépata analítica; dime oh esposa mía.

–Santini, ven abrázame bonito y apago la luz y te digo bajito bajito.

Y durante horas y horas me habló de Raúl, todo lo que yo le había contado lo recordaba, y todo lo que había podido deducir y todo lo que había podido intuir, e incluso más allá, mucho más allá. Imaginó perfectamente y me dijo que no tuviéramos miedo de mi hermano. Que Raúl era mi hermano.

Yo sabía que se contaban todo, Tigre Blanco, lo de Raúl y lo mío, que eran muy hermanas. Yo sabía, y a solas –paseando a Mascoto por la azotea húmeda y traicionera, alrededor del pequeño cuarto de la criada hermosa o escribiendo una carta para alguien que aún no me conocía pero que ya me necesitaba– me las imaginaba con imprecisión. Nunca les pregunté, por supuesto. Las esperaba, y cuando llegaban les decía que sí.

–¿*Te puedo preguntar algo más?*
–*Puedes.*
–¿*Cuándo se oyen los diálogos, lo que dicen la muchacha y el hombre y el muchacho?*
–*Te digo algo: es raro.*
–¿*Cómo raro?*
–*Sé lo que dicen pero tengo que esperar mucho a que eso se convierta en palabras.*
–*Pero se va a convertir en palabras, Santiago.*

Entre Raúl y yo nunca pasó lo mismo; él quería contarme y yo le decía que sí. Me mostraba sus listas, sonreía, y yo sonreía con él. Alguna vez me decía Tengo que tener tiempo de estar solo y yo lo dejaba. Seguramente escribía "Junto al mar, primero le conocí un cometa que los ojos" o "Ese lunes al despertar, encontré un pájaro en el hueco brutal de la palma de mi mano izquierda. Un pájaro muerto. Quebrado". Invento, no quiero recordar, pero recuerdo su estilo.

Puedo oír cómo el hombre habla muy rápido, con vehemen-
cia. Puedo ver sus gestos amplios, casi se para de su silla
para subrayar, para acentuar, para convencer. Como si ha-
blara una lengua extraña y tuviera que gesticular. Posa con
frecuencia la mano en el hombro del muchacho, pero sus ojos
casi siempre se fijan en los de la muchacha. De su taza de
café, aún a la mitad, ya no sale humo.

Sabía que tus hermanas y tú se contaban todo y que, mientras
yo caminaba o esperaba al cartero en la sala, releyendo por
sexta vez uno de los libros que Raúl había malentendido a los
doce años, me amaban las cuatro compartiendo una botella de
tequila reprobable. Y sólo entonces sentía la tentación de perdonar las libretas de mi hermano.

—Hay que saber el final.
—¿Cuál es el final?
—Éste es el final:

El último día lo pasamos haciendo viajes entre la casa y la
bodega. Hace un calor justiciero. Es casi divertido. Un depor-
te más para nuestra colección. Hay una cancha de tenis a la
entrada del parque. Dos. Ya no importa. Recogemos su bici-
cleta recién reparada y a las siete que cierran la bodega sólo
ha olvidado una caja. Yo la llevo mañana, no te preocupes.
Después del aeropuerto. Todavía llegamos al tailandés.
*   El restaurante con el que solíamos premiarnos las horas de*
lectura de los sábados. Íbamos a la biblioteca y nos quedába-
mos estudiando hasta el hambre. Luego delicias del Pacífico.
Casi llegando me dijo que extrañaba cenar en el tailandés.
Antes de saber. Íbamos a cenar y volvíamos en el metro al
pueblito donde dejábamos el coche; el del videoclub magnífi-
co donde elegía la película una vez ella y otra yo. No siempre
veíamos la película porque a veces, llegando, la casa estaba

esperando amores. *Otras, nos servíamos una rebanada de pay poníamos a Greenaway o a los Coen o lo que nos tocara el antojo en esos días. Me recargaba en la pared y abría las piernas. Ana se sentaba en medio, soltando su peso en mi pecho, y me preguntaba como niña ¿Por qué no se va de ahí? ¿Pero cómo se puede dejar que ese tipo la bese? Gross, nasty. Y me acariciaba un poco y yo le daba un masaje vago. Todas las luces de la casa estaban apagadas.*

Ahora la televisión y la video están en la bodega, con nuestro edredón favorito y nuestras fotografías en nieve y entre flores, bajo cerezos en pleno rosa y en casa, en nuestras dos casas. Pide padtai como siempre. Logramos una mesa al fresco para dos y somos los dos de siempre. Nos miran y se dan cuenta de que estamos encerrados en una interminable conversación, una charla de años.

Junto a nosotros una chica cuenta cómo sus padres salieron de Vietnam y fueron a Alemania por diez años antes de venir aquí. El chico cuenta chistes malos. Es su evidente primera cena. Con cada chiste se aproximan más a la última. Me da tristeza porque ella es bonita y por alguna razón ha traído su manopla de beisbol. Ana me dijo muchas veces después de fiestas o cenas Me encanta que seas mi amiga y podamos chismear tanto de la gente.

Ay melonheart, ay Santini, ay San Bobo.

Como no vamos a rentar una película (la televisión, la video, nuestra vida en una bodega) hemos bajado en coche y por suerte encontramos un lugar para estacionarlo.

Regresamos charlando sobre la hora en que sale su avión y la escala inútil de tres horas que la espera. Podría decirle a BJ que me llevara a nadar. El exnovio modelo. En algún momento me contaba pero después no quiso saber de mi pasado y limitó el suyo a la escuela, al salto de altura, a sus amigas. Es como si uno de los dos se estuviera muriendo. Sí, yo: se está muriendo el que conociste. Es lo último que deci-

mos. Desayunamos en silencio y el camino al aeropuerto es silencioso.

—*¿Sabes que lo dijiste en primera persona?*

—*No pude evitarlo. Y tampoco es el final verdadero.*

—*Yo sé mejor que tú el final verdadero.*

—*Dime.*

—*No puedo porque no te haría ningún bien. Tienes que decírtelo tú Santiago.*

—*Pinche Kweelen.*

Después de tu entierro cambiaron las cosas Tigre Blanco; yo llamé por teléfono y pregunté ¿Éste es Raúl Ojesto? Y él, mi hermano, el que no soy, comenzó a decir que sí. Él dijo que sí, y quizá por eso escribo ahora. Llamé y él respondió. Después de contarle de tus hermanas, le dije de tu novio verdadero, que no hablaba, que ya había terminado de llorar para toda la vida; le dije a Raúl cómo recorrimos juntos (tus hermanas, tu novio verdadero) lentos (tu madre destrozada detrás, a pocos pasos), esforzándonos por decir algo, ese camino silencioso entre cipreses. Mi hermano me dijo que sí, Tigre Blanco.

Quítate la ropa, cabrón. Sí. Y tiéndete en el suelo. Sí. La cabeza hacia la luna, cabrón. Sí. Porque no te perdonó, no te perdonamos, cabrón. Así que cierra los ojos: te voy a dirigir, te voy a decir muy claro todo para que vayas obedeciendo, cabrón. Y dijo sí, dijo que sí a todo Tigre Blanco. Tuvo que decir que sí porque yo tenía sus dientes grabados, su casa, sus perros muertos, a las mujeres que lo amaron. Y quizá por esto es que ahora escribo.

Había muerto Mascoto (en lugar de años o edades, habíamos tenido perros), lo habíamos enterrado en el jardín y él, viejo o triste o quién sabe, ya no había comprado otro. Ya no, dijo; quizá también se había cansado de la lista. O los dientes lo afectaban más de lo que nunca pensamos.

Yo decía que sí, no deseaba, tenía una rutina. La vida despaciosa, las estaciones, el lento morir de mi cuerpo y el cambio de colores en mis recuerdos. A Carmen la conoció en el veterinario, Carmen le presentó a Julieta, Julieta a Malenita y en una fiesta donde llegó guiado por una voz equívoca que le recordaba a Malenita te conoció a ti: la hermana más chica de las Bobbit. Y yo pensé que estaba bien, me parecía el ciclo normal de nuestro existir: él te marcaría en su lista, te traería a casa y cuando me conocieras sabrías que yo siempre decía que sí.

Así comenzó a suceder, hasta que de la manera más estúpida del mundo, mi hermano, el que no soy, Raúl Ojesto, tuvo la razón. Porque él decía Ya te hice literatura, lee el cuento, deja de chingar; porque él no contestaba el teléfono, porque él, una noche de las últimas que pasó aquí, me dio una bolsa de papel lustre rojo, con tiritas de estambre a manera de asas y me dijo que ya no podía quedarse más tiempo y además de la bolsa con sesenta y cuatro dientes perfectamente labrados quiso dejarme un consejo: ser alguna vez el hermano mayor. El que pone el ejemplo. No sabía si sentarse, si sentarme, si gritarlo, si anotarme su consejo en un papel y meterlo a la bolsa que yo había dejado colgando de mi pulgar. Sí dime, dije, te escucho ¿cuándo he dejado de escucharte? Y él tratando de ganar la batalla que veía perdida en mí, con ganas de compensar las diferencias, con una compasión tardía porque siempre me vio débil —yo sí bailaba bien, pero mi verga era muchísimo más pequeña que la suya— o porque sabía que estaba perdiendo a su espectador y quien iba al infierno era él.

Me vio servirle un whisky como el mío, lo tomó con su mano enorme y lo bebió deseando tener más confianza en sus efectos. Gruñó, suspiró, se mesó los pelos negrísimos, se rascó detrás del cuello. Yo no lo ayudaba. Sólo le decía que sí, que estaba escuchando. Puso música para quebrar nuestro silencio y finalmente me dijo su pendejada: Hay que planear, hermanito, hay que domar a la vida, cincharla, hacerla mansita; me preocupa qué va a ser de ti cuando ya no puedas decir que sí.

Se fue, dejándome sus metáforas hípicas, sus dientes cuidadosamente desbastados, sus perros muertos y sus mujeres. ¿Vas a estar bien?, me preguntó y cerró la puerta antes de que yo le dijera que sí. Lo triste es que acabé por hacerle caso Tigre Blanco. Nunca me paré a pensarlo, a paladear su rudo consejo de charro empresario. Lavé los vasos y cuando me desnudé para meterme a la cama, pensé que lo había olvidado.

Hasta que regresaste siete viernes después y por primera vez, como Raúl Ojesto, como la gente, como los hombres que planean y saben y doman y ganan y poseen te dije que no.

Lo llamé por teléfono ¿Éste es Raúl Ojesto?, y lo fui instruyendo como me habías enseñado tú, como me habían enseñado tus hermanas, tus hermanas y Georgina, Dalia, Kasja, Verónica, Pilar, Nadia (esas mujeres que últimamente traían un colgajo o un anillo o unos pendientes de marfil que yo les había regalado).

Ponte un poco de aceite tibio en las manos y ve tocando sólo la punta del glande, así, no se la metas toda, espera, que se lubrique entera, que chorree, que le corran sus propios humores hacia el culo, que desee más, que te ruegue con el coño llorando. Sí. Y ahora tócate entero, sin sobarte, usa las dos manos; toda, métele la verga una sola vez, hasta el fondo, y luego sácasela completa, y ahora tócate otra vez la punta, déjala ahí, que te bese con la vulva, que aletee, que chupe, que use sus músculos sin nombre, que te rasguñe la espalda y te clave los dedos en el culo, que te muerda. Hagan todo por última vez cabrón.

Era lunes y venía Carmen, era martes y venía Julieta, era miércoles y venía Malenita, era viernes y venías tú. Yo compraba alegrías pegadas con miel de azahar, helados de breva y macadamia, pasteles de dátiles con pasta de almendra. Eran todos los días, cualquier día y yo decía que sí. Era la madrugada, oía un coche detenerse frente a mi puerta y el silencio de alguien que dudaba, que tenía miedo, que sentía vergüenza de molestar, y yo me vestía, encendía las luces, ponía música, lo invitaba a pulsar el timbre, a llorar en mi hombro, a tomar chocolate perfumado con canela y cardamomo, a meterse bajo el edredón, a dormir dulcemente abrazado a mi consuelo. Me pedían un libro y decía que sí, oían con deleite mi música y yo les daba el disco, miraban con envidia una corbata y de repente aparecía en el buzón de su casa, cuidadosamente empaquetada. Decía que sí a las miradas y a las preguntas. Era monótono y hermoso y me gustaba.

En nuestra antigua casa de niños, en mi casa, había siempre músicos de pueblo, vendedores de cobijas, encuestadores, caminantes vencidos, pordioseros, repartidores de periódico, ancianos llenos de historia. Yo los sentaba, los oía, los aliñaba, los presentaba entre ellos, los invitaba a regresar. Así ¿recuerdas Tigre Blanco?, hicimos el amor oyendo Dios nunca muere o Llorona o con el suave trinar de los agradecidos en el jardín, extendiendo su felicidad, sonrojándose de enamoramiento, dejando algún recuerdo, una nota de ortografía conmovedora, una promesa de regresar con un piecito floral, un profundo calor; todo verdadero, sin planes. Monótono y hermoso.

Se murió, cabrón. Y él me preguntó el día. Cabrón de mierda, hijo de puta, vuélvesela a meter hasta el fondo, hínchate en ella, lastímala, muéstrale que eres enorme, que todavía te quedan medidas en su afuera, que podrías romperla. Apriétate la verga con las manos, muévete despacito, véncele la flexibilidad, haz que te pida ser lento. Y él, mi hermano, el que no soy, estaba ahí, desnudo, contigo por última vez Tigre Blanco, cogiéndote como siempre te cogía, amándote para siempre. Diciéndome que sí.

Era viernes y llegabas a contarme cómo habías decidido abandonar la escuela no porque te costara trabajo sino porque te agobiaba ser extraordinaria, te aburría llegar todos los días y que los niños de tu edad contaran las películas y las telenovelas donde te habían visto trabajando. Me pedías que te recomendara libros y me confesabas, abrazada a mi espalda porque tenías vergüenza, que te gustaban los de mi hermano, sabías que eran mentira pero no podías evitar leerlos lentamente las otras noches, cuando no venías a dormir conmigo. Me lo contabas y te amarrabas muy fuerte, con los brazos y con las piernas, a mi espalda, me dabas un beso como estilete en el centro de la nuca y me abandonabas en mi callar, me dejabas sumido en el dolor de que Raúl Ojesto, el que no era yo, siguiera lastimándote. Venías, comías perdices forradas de aguacate y camembert, bebías lentísima una sola copa de vino helado, y me llevabas al cuarto. Te amaba siempre Tigre Blanco y te dije Te amo y me dijiste Cásate conmigo y yo me quedé callado de otra manera, obscura, espesa, diferente: así era decir que no. Te fuiste hasta la mañana siguiente y aunque trataste de que todo siguiera igual, ya no fue posible. Nada sigue igual después de romperse. Dije que no y te reíste. Tu respiración era igual, seguías oliendo a vainilla y a desierto, no se modificó en nada tu estatura y tu pelo negro seguía corriéndote por la piel. Después del desayuno te lavaste los dientes con el cepillo que había comprado para ti, me dijiste adiós y cerraste la puerta sin golpearla. Te vi subir al auto nuevito en el que dieciséis horas después ibas a morir para siempre Tigre Blanco.

Su mamá me confundió contigo, cabrón, y la dejé confundirse, así que ahora tienes que crear un ritmo, imponerle tu devenir y hacerlo suyo, tienen que pendular del mismo modo, tienes que empezar a curvarte, a tocar esos pequeños baches, esas montañitas, esos lunares donde se le junta el placer; tienes que acelerar poco a poco, y no te vayas a venir cabrón, no se te vaya a ocurrir venirte antes de tiempo, porque nunca te perdonaríamos, dije, Tigre Blanco. Y Raúl Ojesto nos obedeció ciegamente, tirado bajo la luna, desnudo, tocándose la verga con las manazas impregnadas de aceite.

Escribir mata, duele, agota; no es como la vida. Una vez narrada, la historia muere, y yo busco cerrarte de una vez, dejarnos descansar Tigre Blanco. Al mismo tiempo voy acabando con mi vida. Dije que siempre decía que sí y es como si ya jamás pudiera repetirlo.

Me quedaba casi siempre pero cuando me pedían ir al cine aceptaba, bailaba cuando me lo pedían, montaba en caballos, jugaba en la playa. Y muchas veces me lo pedían.

Julieta y Carmen y Malenita no me confundieron contigo cabrón pero dejaron a su madre consolarse en el traje Armani negro, dejaron al novio verdadero odiarme porque lo necesitaba profundamente, dejaron que yo fuera tú; uno de los primeros en tomar un puño de tierra (ocre, tibia y con olor a ruina arqueológica) para tirarlo a la fosa sobre su ataúd, cabrón, porque creyeron que tú estabas enterrándola, mierda. No pares, quiero que se venga y tú pulses y vibres y grites, que grites fuerte, pero no te vengas, que la recorra su orgasmo acompañado pero que se lo puedas hacer otra vez; sácasela y vuelve a entrar, que te vuelva a sentir, que ya no piense, que pierda la cuenta, que se venga y se venga y se venga. Te quiero gritando, cabrón, quiero tus manos rojas, quiero que sudes, quiero que tu verga casi explote, pero no te vengas porque todavía no tienes permiso.

Me quedaba casi siempre, pero ese sábado salí desde el mediodía y cuando llamaste yo ya había dicho que sí, y paseaba con Lino por un museo casi desierto (dos viejos lo recorrían con tal calma que parecían no moverse); con Lino, que solía reír mucho y me invitaba cuando necesitaba estar serio. Me había pedido que me vistiera guapo, de corbata y saco, para poder posar muy formales frente a los cuadros de Rodríguez Lozano. Llamaste y no estaba, y volviste a llamar y volviste a llamar (tragedia por celular). Al final la tina perfumada, el maquillaje, el cuidadoso secado de tu pelo. Te decidiste por el vestido negro y corto que tanto nos gustaba. Perfume en tu olor a vainilla y a desierto, los aretes de marfil. Te miraste al espejo mientras marcabas mi número y nuevamente no contestaba nadie: yo estaba bebiendo whisky y mirando la Plaza Río de Janeiro y besando a mi amigo Lino, mi hermano seguía en lo de los dientes, Mascoto y El Santo muertos. Quitaste el disco de música para piano y trombón que te habías llevado de mi casa, apagaste las luces y le pediste a don Roberto que abriera la puerta de la cochera. Quizá justo en el momento de salir fue cuando Dorita te alcanzó para darte el teléfono inalámbrico. Y tú sonreíste deliciosamente creyendo que sería yo o hasta Raúl Ojesto, mi hermano que nunca fui.

Era tu novio de toda la vida, pidiendo que no fueras a la cena porque él no iba a poder llegar, seguro tenía que editar toda la noche. Tú, mi Tigre Blanco, lo tranquilizaste: sólo voy un rato. Y él (cuántas veces lo repitió durante el velorio, como si hubiera sabido) insistió, razonó, chantajeó, rogó que te quedaras en casa por favor. Se lo concediste para tranquilizarlo.

Pero te largaste.

Él fue el primero en llamar a tu casa. ¿Lo alcanzaste a oír, atrapada en el coche, Tigre Blanco? ¿Pensaste que era yo? ¿Pensaste en que no habías conocido Europa? ¿Recordaste la botella de champaña que me tenías prometida? ¿Te acordaste de mi amiga diciéndote la diferencia entre tus diecinueve y mis veintisiete es que tú piensas que Raúl es un hijo de puta y yo sé que es un santo? ¿Te acordaste de llorar porque tenías diecinueve años?

Nadie quiere hablar de la cena, nadie fue. Nadie quiere contar si bebiste o si te cruzaste con cocaína o si te inyectaste, nadie dice si estuviste sola o te veías triste. Nadie.

Y al final Tigre Blanco, me esforcé y convertí mi voz en tu voz para que mi hermano se viniera por última vez en tu amor, dije lo que siempre decías, te encontré dentro de mí. Fui tú mientras él decía que sí y era yo; éramos nosotros Tigre Blanco. Dije lo que dijiste para mí y para él, dije y lo oí gritar mientras se vaciaba, lo oí desgarrarse en el grito Tigre Blanco, diciendo tu nombre Tigre Blanco, llorando al fin. Débil, esparcido, muy cerquita de tu muerte.

Ahora han comenzado a venir de nuevo, primero Lino, que supo y me trajo flores y frutas y discos; luego Georgina que me acarició y me peinó toda una tarde, Pilar con Dalia. Kasja me dejó el catálogo con las reseñas de los mejores programas de posgrado.

La primera de tus hermanas que regresó fue Malenita. Nos callamos largamente, juntos, porque ella también había llorado para toda la vida. Me dijo No era yo la más bonita del mundo y le respondí que ahora lo era. Hicimos el amor brutalmente, riendo, mordiéndonos, con rabia. Era viernes. Tu día. Pero como casi he terminado de escribirte, como ya te convertí en literatura, puedo decirle a Malenita que sí. Julieta vino dos semanas después y Carmen llamó para preguntar si podía visitarme. También les dije que sí, de nuevo que sí a todo el mundo. Aunque ya no era igual, aunque ya nunca iba a ser igual.

En una revista salen fotografías de tu coche y dice que donaste tus córneas.

¿Puedo colgar?, me preguntó Raúl Ojesto, ¿me pueden perdonar por favor?, nos preguntó Raúl Ojesto, mi hermano, el que no soy, el que escribe. Yo le dije que aún no, que tenía que hacer una cosa más. Me lo podía imaginar con lágrimas y semen mezclados en los pelos negros del pecho, ¿Qué?, desnudo y encogido bajo la luna, temblando con el teléfono en la mano, con la verga todavía anudada en esa geografía de venas como dice mi padre que son los últimos brazos de mi madre. Quiero que vayas a tu libreta y anotes una marca más junto al nombre de Paulina.

Paulina: la hermana más chica de las Bobbit, que parecía siempre un tigre blanco.

Hablábamos de los demás. Me contaba no sólo de su gente en Oregon sino también de los de aquí. Yo también le contaba de la gente que ella no veía tanto.

—¿Sabes que la alemana piensa que soy muy amigo de Lucio?

—¿La alemana?

Estábamos en un comité. Ella porque su departamento era muy pequeño y rigurosamente organizado. Yo porque el nuestro era sumamente cruel y se aprovechaba de los nuevos. Ana odiaba todos los comités, toda la política, los ingenuos intentos de formar un sindicato de estudiantes de posgrado.

—Ni vamos a ganar ni nos van a dar buenas cartas de recomendación.

—¿De verdad crees que a ti no te den buenas cartas de recomendación?

La alemana pensaba que yo era gran amigo de Lucio y Kweelen decía que Lucio pensaba que Ana era su gran amiga.

—¿Te contó cómo se la tira enana?

—Me contó que no se rasura las axilas ni las piernas y que eso lo excita, meslemasle.

Lucio le había contado de cuando vivió en Nicaragua y de cómo su novia narcotraficante le había comprado una casa en Madrid a Miguel Bosé.

—¿Por cierto, quién es Miguel Bosé?

—Sale en una película de Almodóvar enana.

—¿Cantando?

—No, almodovareando, deberías pasársela a los de Español 230.

—Para que luego me corran: ¿sabes que ya hubo uno que me preguntó si la fiesta de fin de año era de fin de año o era navideña?

—No entiendo melonheart.

—Es jehova's witness/

—Testigo de jehová.

Le daba mucha risa que dijéramos testigos de jehová, halcones marinos de Seattle y estudios universal en vez de estudios universales. Le daba risa cómo pronunciábamos i-pod o borough o Pepys.

—Supongo que a ti te da risa cómo pronuncio en francés.

—Claro, pronuncias como gringa.

—Y tú como mexicano San Bobo; Lucio pronuncia distinto.

—Él tiene una novia en París claro.

—Tenía.

—¿Tenía?

Nosotros, la alemana y yo, estábamos en el comité de enlace. Después de la junta tenemos que hacer una minuta, diseminarla entre la gente del departamento y si hay comentarios o protestas, enviarlo al comité de consejeros.

—¿Diseminarla San Bobo?

—Supongo que eso muestra la postura teórica del comité.

—Eres un tonto.

—Tuve que pedirle su minuta a la alemana.

—Ya decía yo que eso no sonaba a tu inglés.

Y no me aceptó que yo hiciera la de la siguiente reunión: No te ofendas pero prefiero seguir haciéndolas yo. Para el comité de consejeros también era yo el representante.

—Son buenas notas en el resumé mi querido Santiago.

—No me trates de consolar Kay, ya me estafaron con el trabajito, no me queda otra oye ¿alguna vez varían el menú?

—Creo que la única vez que no pasamos la hora comiendo donas fue cuando le dieron la beca mayor de la Biblioteca Clásica y Moderna de Harvard al jefe de la escuela y llevó una botella de vino de ocho dólares y vasitos de plástico para brindar.

A veces veía a Kay en el Centro de Estudios Latinoamericanos y veía a sus asistentes bajando pornografía a todo lo que daban sus conexiones y oyendo canciones distintas a todo volumen y me preguntaba si de verdad podría traducir ahí. A veces la veía en su casa. Le daba un aventón cuando el clima estaba horrendo o cuando se había hecho tarde.

—¿De cuánto es la beca?

—No quieres saber mi querido Santiago.

—A lo mejor sí ¿cuándo le toca nueva beca?

—Ésa es vitalicia.

—Carajo.

—Oye perdona que no llegue Miguel, pero está trabajando hasta muy tarde.

—¿Y eso?

—¿No te contó?

—Te digo que Miguel no llegó, dizque porque está trabajando hasta tarde.

—¿Qué es dizque?

—Supposedly.

—Como dizque viene Raúl.

—Tú me lo dijiste enana.

Había veces que Ana se ponía misteriosa, rara y tenía que detenerla, obligarla a no fichar, a no hacer abdominales, a no sacar la ropa de la secadora y tomarle la cara entre las manos para verla de muy cerca y que regresara, que oliera a ella, que sonara como ella, que se viera de nuevo como la mujer con la que me había casado, en Oregon, rodeado de antiguas amigas

123

de la preparatoria que se morían de curiosidad de ver al mexicano, de tías desconfiadas, de su padre contento y triste.

–Mejor cuéntame eso de la tesis.

–Ah, pues la alemana escribe una página todos los días y tiene marcada en el calendario la fecha exacta en que va a terminar de escribirla; luego tiene un periodo de un mes o así para defender, justo antes del MLA. Lo que no me dijo es si también tenía agendados los palos con Lucio.

–No, eso lo escoge Lucio.

–De repente me asustas enana.

Y supongo que había veces en que yo también la desconcertaba, en que ella no acababa de entender quién era. Que me veía con sus ojos de pesadilla cuando yo estaba de lo más tranquilo cantando alguna canción inocente o comiéndome un pedazo de chamoy que me había regalado Kweelen.

–Oye San Bobo ¿tenemos a González Crussi?

–Mejor sigue leyendo a Cernuda.

–¿Lo tenemos o no?

–Creo que algo sí, ve por ahí donde tengo las cosas por leer.

–Lucio le escribió a ver si se ocupaba de Joaquín Pardavé.

–Por lo de la narcolepsia, supongo.

–¿Tú por qué no te carteas con escritores San Bobo?

–Porque casi todos los escritores que me interesan están muertos y uno que está vivo me dejó plantado platicando con su esposa.

–Estás de un amargo últimamente Santi...

–Estoy preocupado.

–Ay ya whatever, yo voy a buscar a González Crussi.

Me encantó, hubiera sido de lo más lindo tenerte de programador cuando era locutora en Taiwán.

–No me molestes, pinche Kweelen.

Le había prestado el disco porque cuando lo puse en el laboratorio, todo el mundo se quejó. Menos ella que se quedó a medio entrar. Oyendo nomás.

–Es un amigo de Miguel: Han-Xing. Un genio ¿no? A lo mejor es la sensibilidad china.

–No soy china pinche Santiago.

Lo normal, lo de siempre era poner grupos de cada país, casi siempre cursilones, fáciles, porque el laboratorio era para contestar emilios, para usar el messenger, cuando mucho para encontrar imágenes de apoyo en clase. Nadie escribía sus trabajos allí. O por lo menos no en hora de oficina.

–¿Los has visto?

–Sí, los siento medio jodidos.

Kweelen se había quedado una semana entera en finales, el primer diciembre, cuando su frustración porque la habían evaluado muy mal como instructora del curso de Inglés 101; y parece que antes de que se le aparejara la Claudia, Federico se dejó crecer la barba y el pelo y las uñas mientras desincompletaba unos incompletos. Pero eso pasaba cuando ya habían acabado los seminarios. Durante el semestre, poníamos mucha música de series de televisión, canciones de lo que despuesito de las microciudades llamé enciclopedia sentimental, antes de que la Justusson me dijera que dejara en paz la semiótica porque no tenía más que un pasado prometedor.

—No me digas que no te gustó nunca Camilo Sesto, si tienes cara de sus discos completos.

—Mejor Sandro de América.

—¿No te digo?, siempre son lo mismo los pinches argentinos, si ni en Uruguay lo compraban al pobre.

—Con el que siempre es lo mismo es contigo ¿qué pongo?

—Pues mismo a Camilo que todos estaban disfrutando. Radio PhD se extendía a los autos, a las casas, a las fiestas. En el laboratorio grabábamos la música que la gente traía de los viajes de verano y navidad, la música que robábamos del internet. A la hora de las cenas o más bien a la hora que terminaban las cenas, cuando ya todo mundo estaba sellado, aparecían los compactos y todos cantábamos el Gronchamix o el Truchopower.

—¿Sabes que me dijo la alemana que Radio PhD era famoso en toda la escuela?

—¿La alemana que no se depila las piernas ni los sobacos? Pero si los de alemán nunca se acercan al laboratorio.

—Es que justo es eso enana, hubo una moción para cancelárnoslo, pero no pasó.

—Nunca supe.

—Nadie del programa supo, porque no nos dijeron.

—¿Y por qué no pasó la moción?

—Los de alemán votaron en contra, parece que Kweelen les explicó la importancia emocional para los exiliados de Latinoamérica.

—Para los ligues bailadores de Lucio dirás.

—¿Ya se tiró a Josefina?

—No.

—Porque le estoy pidiendo turno a Kweelen, ahí hazle palancas.

—¿Qué és hacer palancas?

—Luego pienso en una buena traducción. ¿Te gustó González Crussi?

—No mucho.

—Kweelen me fotocopió un call for papers para México. No tuve el corazón para explicarle.

No tuve el corazón ni las ganas y puse una de los Redonditos de Ricotta y la canté con mi pésimo acento argentino mientras fichaba Mito y archivo para mis exámenes.

—No te entiendo Santini.

—¿Qué no entiendes enana?

—Mírame.

—No quiero estar aquí, aunque no tenga que llamar a Raúl, aunque no le contestemos el teléfono.

—Entonces te vas a México.

—Falta que me acepten en la conferencia.

—Te van a aceptar, llevas cinco horas escribiendo un abstracto de una cuartilla.

—Resumen.

—No te enojes Santini.

—No me enojo nada. Es una conferencia muy importante, ya Quevedo me regañó por no haber ido el año pasado: ¿queremos Berkeley, sí o no?

—Habíamos dicho Oregon.

En el atril habíamos puesto un Webster gigantesco. Yo seguía insistiendo que el Oxford era superior, pero Ana se rio, me hizo un pay de calabaza y mandó la orden a Amazon. En la sala ya no había vela. Y en lugar de flores, había cilantro en la mesita de centro.

—Bueno pues si no hago estas cosas, no vamos a llegar ni a Arkansas.

—Pero sí hemos hecho estas cosas.

—Ésas eran de estudiantes, hay que ir a las otras.

—¿Va Miguel?

—No creo.

—¿Y Kweelen?

—No creo, no tiene nada que ver con México pero a lo mejor por el tema de la migración mete algo.

—Yo podría meter algo de la migración de la sierra a la costa.

—Desperdiciarías el dinero que necesitas para ir con la de Wisconsin a trabajar en el Valle Sagrado.

—Y tú prefieres que yo no vaya.

—No sé; tengo poquísimas ganas de salir en México, lo único que pienso es en no estar aquí; hasta voy a oír todas las ponencias.

—Y saltarles al cuello, como cuando la Justusson.

—No sé, éstos saben defenderse bastante mejor.

—Pero tú eres una fierecilla.

—La fierecilla domada ¿no zopenca?

—No la florecilla de Tasmania.

—Te quiero, tonta.

—¿Me vas a traer un comal de México?

—Sí, de barro rojo.

—Pero rojo de sangre académica.

—Al final en Berkeley la que hizo las preguntas matanceiras fuiste tú melonheart.

—Bueno pero si le das besos a la Kweelen te reviento.

—Bueno y si tú le abres la puerta a Raúl te diseco y cuelgo tu cabeza en la pared.

A veces jugábamos como los niños, a acumular amenazas hasta que se volvían apocalípticas, como lo habíamos redescubierto en la novelita que nos había dejado Josefina y que al final había valido la pena. Teníamos los estantes llenos de libros que nos regalaban o nos prestaban o nos habían recomendado y al final nunca las leíamos. Así era el ritmo del doctorado.

—¿Sabes que la leí para poder chingarla y luego sí me gustó?

—Creí que iba ser como Memorias de mamá Blanca o así enana.

—Bueno el final es bastante malo.

Hablábamos de libros pero mucho más de los otros libros, los que alcanzábamos a leer en los muy angostos márgenes que nos dejaba la escuela; las clases que tomábamos y dábamos, las rigurosas listas de lecturas que nos habíamos construido anticipando los exámenes de calificación, la defensa, la tesis de doctorado a la que Ana siempre llamó disertación.

–Le pregunté a Miguel cuántos libros tuvo que estudiar para los suyos.

–¿Y?

–Dijo que siempre depende, porque como leyó Siglo de Oro las cosas eran enormes.

–¿No es Siglos de Oro?

–Garcilaso no tiene el nivel de los demás.

–Pero al final no te dijo cuántos libros leían.

–No, y me dijo que los de alemán ya también son unos mariquetes, se me hace que su programa ya también se volvió light.

–Bueno pero siguen teniendo que leer a Thomas Mann.

–Ay Thomas Mann lo leía hasta mi abuelita, enana.

–No sé, mi papá siempre lo usaba como ejemplo; decía Si la gente en Salem leyera a Thomas Mann.

–Bueno si la gente en Salem leyera.

–Tranquilo que te quito el permiso de ir a México Santini.

–Nononono por favor.

–Bueno, pero tienes que dejar a todas las chicas en paz.

–Si nada más se acercan a preguntarme por Lucio o a ver si llega a servirse café. Deberías administrarle la corte tú que compartes oficina con él.

Desde el principio me dieron una oficina con Miguel. Estaba libre el escritorio de Kay porque se fue al Centro, así que me tocó separado de Ana. Pero nos gustaba porque así podíamos cubrir más frentes para chismear. De cualquier manera Lee, el coreano que leía a Lugones en la UBA, y que vivía enamorado de Ana, estaba en mi oficina, así que no tenía nada de qué preocuparme.

–Sólo de que se acabe el mundo pana.

–Dice Kay que aquí eso pasa cada tres meses.

–Tiene razón, si no es la nieve, es una guerra, un virus, las elecciones, la inmigración, la falta de inmigración, la bolsa, el puto presupuesto. A mí ya me cayó un rayo cabrón.

–¿Y es verdad que lo primero que se acaba en el súper es el pan, la leche y el papel del baño?

–¿Todavía no te ha tocado fin del mundo?

Me había tocado pero no me atreví a decirle que cuando nos mudamos de la casita ya no habíamos renovado nuestra suscripción al periódico y que muchas veces llegábamos calados a las fiestas o a la escuela porque tampoco veíamos el noticiario en la mañana y no sabíamos qué tiempo iba a hacer.

–Yo no la soporto. La verdad que de los ancianos prefiero mil veces a Miguel y Kay que a Federico y Claudia.

–La Claudia.

–Como se llame.

–Pero ellos sí cogen mucho.

–Claro y seguro se dan de latigazos.

–Sí se dan de latigazos.

Se daban latigazos y fumaban mota y se metían ácidos y por la mañana se preparaban café turco y comían galletas havana que no podíamos creer y menos comprar con nuestros sueldos.

–Se odian y pelean roncamente a cada rato pero al final no se ven jodidos ni están cavando reductos individuales en una casa que fue de dos ni están tratando de separar a las gemelas.

–¿Sigues preocupado?

–Es obvio que sigo preocupado ¿no?

–Lucio ya no vive ahí ni coge ahí y jamás les cuenta nada de sus conquistas.

–No, te cuenta a ti ¿no zopenca?

–Yup.

–¿Yup?, deberías decir yuck.

—No, la verdad es bastante chistoso.

—La neta creo que es peor que no les diga. ¿Sabes que hace 47 días que no vamos al chino?

—Pero qué tiene que ver que tus subnovios no nos hayan querido ver con que Lucio les cuente o no a quién se la mete.

—Todo.

—Todo my asspirin.

—Uy me está doliendo la cabeza, me vas a tener que dar un poco de asspirina.

—No melonheart, antes contéstame, y luego me sirves un platón de helado y no uno mariquete a la mexicana sino como se debe y con brownie.

—Mejor te digo mucho porque me acabé el helado.

—Pues cuéntame en el coche porque tengo ¿craving es exactamente ganas?

—No, antojo.

—Antojo, nunca me acuerdo.

Muchas veces lo que nos hacía molestarnos era hablar de otros. Tomar partido. Luego nos reíamos. Pero a veces ya no podíamos reír y nos quedábamos con uno de los enojados en lugar de juntos.

—Vamos a la Cómer y sacamos una película.

—¿Puede ser boba?

—Puede ser lo que quieras enana.

—¿Cuándo te avisan de lo de México?

—Ve, ésa es una razón para lo que te decía del currículum: Miguel no quiso mandar nada, y deciden como en un mes.

—No, espérame: siempre que te escapas lo haces igual; me contestas algo muy parecido a lo que te pregunté pero no lo mismo.

—¿Ves cómo eres una gran lectora y vas a ser la full professor más joven del mundo? Hasta te va a dar tiempo de dejarte crecer el pelo.

–Borinsky lo tiene largo.

–Bueno te contesto/

Habíamos aprendido. El ritmo salvaje del doctorado nos había ido enseñando a sonar profesionales. Lo que en los primeros trabajos yo no entendía, Ana me lo había enseñado. No sólo era escribir sino escribir como PhD, como doctor gringo. Aunque yo no la dejaba que escribiera empoderamiento.

–¿Era un venado?

Era un venado. No había pasado gran cosa pero habíamos tenido que dejar el coche en el taller y Kweelen había dado mi clase y la clase de Ana. Había ido a la casa con las listas de los dos grupos y helado de gengibre.

–¿Me perdonas por hablar mal de ella Santini?

–No hablaste mal de ella Nan.

–No contigo.

–Ay cabrona, ahora por eso vas a tener que ir tú al huerto del orto por el coche.

–¿Quién venía manejando?

–¿Y quién me señaló el venado?

–Sabes, cuando empezaba la novela creí que toda entera iba a ser una discusión así; me hubiese gustado más. Tendríamos que decirle a Miguel que la escriba.

–Los escritores nunca hacen caso cuando les dices algo así.

–¿Te lo dijo él cuando todavía se dejaba subnoviar?

–Están peor que Martín Romaña.

–Entonces deberíamos invitar a Martín Romaña.

–¿Lo dices en serio?

–Sería linda una cena con él y con Lucio y Lopa.

–Odia a Lopa: metió a veinte a su clase del semestre pasado.

–¿La de los niños?

–Revolución tecnológica y la invención del personaje débil.

–¿Te digo algo y no lo repites? Creo que no fue por pendeja: se enfureció porque le pareció un insulto que Martín Romaña no pusiera a Beverley en el temario.

Creí que el permiso de ir a México era como el anillo perdido en el hielo. Como el enojo por el cuento de Raúl. Cosas que pasaban, que se habían ajustado entre nosotros; que ya eran parte de nuestra vida.

–¿Mandaste algo a México Kweelen?

–Sí.

–¿Y ya te contestaron?

–No, todavía falta. Hace daño desesperar Santiago.

–Avísame para ponernos de acuerdo.

–Yo te digo.

A veces le leía algo a Kweelen, para que me dijera, para que me explicara, sólo para sentir que lo intentaba. Ella en cambio no solía leerme nunca nada. Me daba bolsitas de té o de especias. Y me indicaba si debía comerlas o sólo olerlas. Si eran para mí o para mí y para Ana. Me enseñaba fotografías que había sacado caminando por el campo, con su perro Genji. Y yo no entendía si lo que importaba era la rama o la luz que se filtraba por la rama, pero sin duda importaba el hecho de que me compartiera su microciudad.

–Así te invito a cenar en México y no me siento culpable de las clases que te quedamos a deber.

–Bueno pero Ana me va a cubrir si me aceptan.

–Claro.

–Oye, una última pregunta: ¿ya eras muy amigo de Lucio desde México?

La distancia comprimía al grupo, lo acercaba, así que a veces resultaba difícil trazar categorías nítidas. Un amigo aquí, en este lejos, no es sólo a quien quieres, con quien charlas incontables horas comparando diarios y relicarios; la diferencia entre los amigos y los conocidos era un gesto. A los amigos los buscabas más allá de las interminables horas en la universidad para entreverarlos con la vida de parejas. Si llamabas por teléfono a alguien para encontrarte en un restaurante o ver una exposición, si lo querías ver más allá de las seis cafeterías de la universidad, era tu amigo.

—Te tengo una sorpresa Santini.

—¿Llamaron de México?

—¿Van a llamar?

—Supongo que más bien escribirán. ¿Entonces qué es la sorpresa?

—Invité a Martín Romaña.

—¿De verdad, y dijo que viene?

—No.

—Ya sabía.

—Dijo que lo llevemos al chino.

—Con Kay y Miguel supongo.

—Y con Lucio.

—¿Y a tu prima Lopa le dijiste?

—Santini si organicé esto para consentirte.

—Gracias.

—¿Me escribes un poema sobre nuestro choque?

—Yo no sé escribir Nan.

—Malo aunque sea.

—Pinche venado/ de ojos bonitos/ ya nos madreaste/ nuestro carrito.

—¿Para eso te pasaste un semestre entero leyendo sobre imagen poética?

—Lo hice para pasar mis exámenes de maestría.

—No es verdad y tú lo sabes.

—¿Me vas a preguntar otra vez que es la metáfora?

Ana me preguntaba sobre teoría y yo la mandaba a leer un artículo o un libro, de Derrida, de Lacan, de Platón, de Paz, de Žižek. Y por supuesto ella me mandaba a la chingada y me amenazaba o me comía a besitos pero su diccionario de tropos y tropiezos era yo. ¿Qué es la metáfora? Y según el ánimo yo le respondía con Jakobson o con el Chavo del Ocho. Ella que-

ría que yo fuera eso, lo que decía la Justusson y era Aníbal
Quevedo: una de esas personas que no sólo han leído y aprendido a citar con elegancia, robar sin remordimientos, escoger
las polémicas más efectivas, sino uno de esos muy lentos que
han pensado todo por sí mismos.

–¿Qué es la metáfora?

–Pregúntale a Martín Romaña en la cena.

–Por cierto cancelaron Kay y Miguel.

–Sabiendo que venía Martín no puedo creerlo.

–Lucio también se sacó de onda.

–¿Ya sabe Martín?

–No, por qué.

–Nos va cancelar él también, ya lo conozco: aceptó porque
nos veía a todos de una sola vez así ya no tiene que salir tanto.
En cuanto se entere le va a dar hueva.

–Pues entonces no hay que avisarle.

–¿Tú crees que Kay no lo va a llamar para disculparse?

–Si le hablas por teléfono a Miguel y le explicas todo esto,
no.

Y claro, lo llamé, pero Kay fue más rápida. Así que Martín
canceló y al final acabamos yendo sólo los tres. Al diner porque a Lucio no le gustaba el chino.

Me gustas/ Sabes que me gustas/ Nos gustamos / O no dice nada/ O/ No: ella no lo dice.

—*Cuéntame lo que está pasando.*
—*Santiago está en México y te va a reventar cuando regrese.*
—*¿Santiago está solo en México?*
—*Fueron a un congreso.*
—*Se escaparon con la excusa de un congreso, y no te llevaron.*
—*Santiago no quería ir.*

Escucha/ Escúchame/ Me dijo a mí/ Me lo confesó/ Me lo contó/ Por lo que me va a partir la madre es por estarte diciendo/ por decirte.

—*¿Te cae que no quería ir?*
—*Se fue porque venía Raúl.*
—*Pero Raúl no vino, nunca venía.*
—*¿Y entonces soy pendeja y no conozco a mi marido?*

El hombre mira a la muchacha/ mira el suelo/ mira a la muchacha y suspira/ El hombre abraza a la muchacha / El hombre no abraza a la muchacha, la mira/
     El matrimonio necesita siempre un grado de ceguera/ Los matrimonios/ Las parejas generan/ Las parejas crean siempre una ceguera/ su ceguera. Las parejas crean siempre una ceguera

–¿Estás citando del Latin Lover Great Book of Convenient Quotations?

‘La muchacha se enoja en inglés.

–Piénsalo.

–¿Y mientras lo pienso te beso/ te invito a dormir a mi cama/ te la mamo?

¿De verdad crees que vale la pena leer a Guaman Poma?

–Más que a tu Borges insoportable; estoy harta de tener que ir a buscar cinco libros cada vez que trato de leer un cuento, como eso último que me dijiste, a ver explícame quién es Paul Groussac.

–Dirime Santiago ¿o eres tú el que le metió a la cabeza esta quechuidad? –dijo Lucio.

–Claro que no fue Santiago, pinche macho mexicano ¿tú crees que le voy a pedir permiso para estudiar lo que quiero?

–Deberías. Santiago es de los mejores lectores con los que me he encontrado en el doctorado, que no es mucho como elogio, pero también fuera del doctorado.

–Aunque ponga en los márgenes de sus libros Derrida es dios.

–A ver cuéntame ésa Santiago –dijo Lucio.

–No se te olvide decir que además fotocopiaste el ensayo para toda la clase Santini.

Los tres en el diner. Lucio con su bastón, Ana y yo con nuestros jeans de siempre, nuestras pulseritas peruanas a las que les decíamos quipus, nuestra tristeza porque no le bastábamos a Martín Romaña.

–¿Y no puede haber sido al revés, Santiago?
—Fue al revés. Lo que importa es cómo va a ser, cómo permanece en la memoria.

Lucio y yo habíamos pedido tbone y Ana un sándwich de queso. La mesera se había equivocado y le había traído atún.

–Ves cómo yo tengo razón y no sólo no me dice dear; estas pinches brujas odian a las mujeres.

–Bueno supongo que no a todas las mujeres.

Nuestra mesera, se había ido a sentar con una clienta a quien le había llevado café. Discutían un artículo del periódico, creo que sobre la velocidad a la que se extiende un virus en internet o un chisme, no entendíamos bien.

–Yo creo que de aquí saldría una película excelente –dijo Lucio–; no tanto el típico documental con entrevistas sino más bien algo mudo, en blanco y negro: las tazas manchadas de lápiz labial, la parrilla, el menú, la peluca de esa mujer, el momento en que cortan el pay y sale la mermelada.

–Con música de tus hermanas ¿no?

–No lo había pensado, con música de Wetya + Poozzy; claro, dos meseras, casi todos las mesas ocupadas por parejas.

Y luego lo discutimos en el camino. Como siempre. Creí yo que como siempre. Cómo no desearlo. Cómo no engañarse. Cómo no ser ciego.

–Sabes enana, creo que ni siquiera se da cuenta del juego de palabras.

–Claro que se da cuenta San Bobo.

–¿Y por eso lo pronuncia tan mal?

–Pronúncialo tú.

–Do you want me to?

–Presumido insoportable.

Te gustaría coger conmigo/ Quieres coger conmigo/ Quiero coger contigo/ Siempre he querido coger contigo. Te la quiero meter/ Quiero que se me pare y que te me sientes en la verga, sin usar las manos/ sin que ni tú ni yo usemos las manos/ Antes de morirme te la tengo que mamar/ Antes de morirte me/ Siempre he tenido una duda, ¿las güeras son también güeras allá abajo?/ ¿huelen distinto?/ ¿saben distinto?/ ¿se sienten distinto?/ las güeras hermosas/ las rubias/ Nunca he tenido una amante rubia.

—¿Y la alemana?
—Bueno, rubia y hermosa.
—Pendejo.
—Me tienes pendejo.
—Cállate.
—Ven a callarme con unos besos.
—Quieres que me calle porque reconoces mis palabras, porque ya te las dijiste.
—¿Te llamó Santiago, te escribió un emilio, te dijo a dónde llevó a cenar a Kweelen?
—Imbécil, sore loser, you just can't bring yourself into a stable relationship, you shit, you are so afraid.
—Eso es lo que quiero.
—¿Una relación estable de cuatro días?

No, mami, quiero que te divorcies para casarte conmigo/ Quiero que lo dejes. Quiero vivir contigo. Veme a los ojos y dime que me largue. Te das cuenta lo cursi que puedo ser/ lo mierda que puedo ser.

—*Yo a Santiago lo quiero, carajo, lo quiero mucho; siempre ha sido a toda madre conmigo.*
—*Y entonces tú le pagas así.*
—*Y cómo lo evito si es la infamia en la que necesito perseverar.*
—*Infamous, that is the word.*
—*I want to be infamous for you.*
—*Además hablas pésimo inglés, sabes que Santiago me preguntaba cómo le hacías para tener tanto pegue y yo imitaba tu inglés, tus errores, tu caminar de lanchero por los pasillos.*
—*¿Cómo de lanchero?*
—*Vete a la mierda/ al infierno/ a la verga.*
—*Me imitabas.*
—*Pendejo.*
—*Me encanta que me imitaras.*
—*Y qué pendejo, era para burlarme de ti.*
—*Era para tranquilizar a Santiago.*
—*¿No te das cuenta de que te va a matar?*

¿Sí?/ Sí /¿Y?

Habíamos ido a cenar al diner y nos habíamos quedado muchas horas. Ana se había fijado en que le trajeran siempre café descafeinado y se había ofrecido a llevar a Lucio al metro cuando se hacía tarde.

–Creí que lo decías en serio; ya no hubiéramos podido chismear.

–Lo decía en serio San Bobo, parecía que te había robado la lengua el gato.

–Los ratones.

La noche estaba de chisme y de poner esa estación de radio cursi donde los amantes se dedicaban canciones que a Ana le recordaban a su tía y a mí esa época pre-cd en que habitaba una microciudad de música compartida. Manejaba yo porque Ana moría de sueño.

–¿Huelo a vaca?

–No mucho.

–¿Me quieres aunque no huela a vaca?

–Sí honeybun, me gusta cuando callas Santini.

–Me gusta mirarte, me gusta que seas fiera cuando discutes.

–Fiera funciona con eso que dicen en México: fiera fiera si me muero quién te encuera.

–Eso no te lo dije yo ¿o sí enana?

–No.

–¿Sabes?, hoy sentí envidia. Estaba oyendo una conversación continuada, una conversación que no es mía, que ya lleva no sé cuánto tiempo, y de repente entiendo pero de repente no

143

sé de qué va, de repente ni siquiera me daba cuenta de que Lucio me estaba tratando de incluir.

–Pero nunca aceptaste entrar.

–Claro ¿no te das cuenta que es un privilegio?, es como si fuera una foto en tu escritorio, oyendo lo que platican todo el día.

–Pero hay una foto tuya en mi escritorio San Bobo.

—¿Me dices el cuerpo del hombre?

—No necesito decírtelo, Kweelen. Y además tú no me has dicho el del muchacho.

—Puedo ver al muchacho temblando. *Sus pies tiemblan sobre la alfombra color trigo iluminados por la luz hermosa de la plaza mayor. La habitación es pequeña y él la ocupa completa. Desnudo y temblando. No tiembla por traición sino de amor, de deseo. Puedo ver sus pestañas largas y los hoyitos de sus mejillas, puedo ver su pelo corto, su torso liso, sus muñecas de pianista con una pulserita de cuero y otras tejidas con hilos de colores. Puedo ver el arete que le cruza el pezón izquierdo y su verga que no duda y sus ojos que no dudan. Puedo verlo, dándole la espalda a la ciudad, a su ciudad agotada, con los ojos abiertos, con las manos abiertas, temblando. Huele a puma, huele a bosque en llamas, huele a barco que se hunde con las luces encendidas.*

—Ladrona.

—*No está en su ropa desperdigada a toda prisa, sino allí, enmarcado por la ventana, con ese halo que le presta la luz de la tarde y el garabato de alguna paloma, de la pelotitas con colas de papel plata que parecen cometas, por el papalote que necea muy lejos, entre cúpulas. Puedo verlo en ese silencio que no es, que son automóviles, que es gente que camina, que son charlas cercanas, que es su respiración y sus latidos. Puedo ver sus latidos. Su piel se levanta rápida entre dos costillas. Puedo ver cómo se humedece los labios con la len-*

145

gua, puedo ver sus orejas pequeñas, su nariz afilada, sus uñas que han crecido y tienen manchitas blancas. Puedo ver largamente su ombligo y su verga enamorada de ese ombligo, su verga tonta. ¿Te gusta?

—¿De verdad lo ves así?

—De verdad lo veo así.

—Sigue. Cuéntala a ella.

—No, porque no me dijiste el cuerpo del hombre.

—Me parece justo. Pero mejor te cambio.

—Quieres que diga yo el cuerpo de Lucio y tú /

—Sí. No. No quiero que digas su cuerpo.

—Igual era una miseria, se parece a Genji parado.

—La verdad me da miedo cuando dejas de ser la reprimida.

—Ya sé Santiago.

Sobre su escritorio, había una foto mía junto al Santo, sentados los dos en la banqueta al pie de un pirul. Miguel había dicho una vez que lo que Ana y yo teníamos en común eran esas familias que usaban a sus hijos como excusa para retratar a sus perros. Y claro eso era lo único que yo sí había querido hablar.

–Porque estoy preocupado.

–Pero de qué te agobias ca.

–Si quieres te lo detallo para que se te expanda el ego, Lucio: me preocupo de ti, porque desde que llegaste los siento cada vez más jodidos.

–Soy el diablo ca.

–Pues aunque te rías sí eres el diablo. Y ahora Miguel quiere ser el diablo y Kay se acuerda de cuando era el diablo.

–Kay no puede haber sido la diablo nunca.

–Te sorprenderías Ana.

–La verdad yo también güey.

–No me digas que saliste con ella Lucilo –dijo Ana.

–Nunca me habías dicho ese apodo.

–Bueno, es que una de tus novias de radio PhD bajó eso y me pareció gronchísimo y la puse en un cd en nuestra oficina.

Decíamos gronchísimo por culpa de la Claudia, que le había reclamado a Federico por pedirle frente a nosotros que se pusiera los pantalones que le hacían un culo bárbaro y luego Federico se había cagado de risa una hora porque gronchísimo era perfectamente argentino así que la Claudia se había ido a tomar una cerveza al bar de la esquina mientras se le bajaba el enojo y nosotros nos habíamos quedado con Federico aprendiendo cuándo debíamos usar groncho y groncha y cuando grasa, y hasta nos habíamos inventado gronchatumadre y grasatugroncha y hubiéramos seguido si no regresa la Claudia a corrernos.

–¿Te acuerdas?

–Sí me acuerdo, estaba a punto de pedirle que me enseñara su látigo ¿has visto el látigo que tienen?

–No, ya no me invitan a su casa Ana –dijo Lucio.

–Es de suponer.

–¿Sabes que mis tíos rancheros les ponen a sus vacas nombres como T-rex y Ribaldo y Beast-8?

–No.

–¿*Lo prefieres explicado?*: *Santiago te contó a Raúl y luego inventó que venía para poder irse a México con Kweelen; antes de irse me preguntó si yo tenía problema.*

–*Porque te habías acostado con ella.*

–*Yo, por supuesto, le dije que no había pedo.*

–*Y entonces creyeron que podían intercambiarnos tranquilamente.*

–*Yo no le pedí permiso de nada, él pensaba regresar y no decirte.*

–*He's got the hots for her and you are playing Judas on him.*

–*Yo soy tu amigo, no suyo.*

–*Eres mi amigo y crees que me voy a enamorar de ti después de esto.*

–*Quiero que sepas que puedes enamorarte de mí, que quiero que te enamores de mí, que me he cogido a once mujeres para tener algo que contarte.*

–¿*Para tener algo que contarme y no porque seas un cabrón infiel que me confesó en una cena que no venía al doctorado sino huyendo de la estabilidad?*

–*Ahí todavía estaba tratando de librarme.*

–*De mí.*

–*Tócame.*

–*Espera cabrón, yo todavía ni siquiera estoy segura de creerte.*

–*Mírame y di que no me crees, acuérdate de cuando me saludas en las mañanas y te despides en las tardes; yo me sé*

tu olor de memoria: usas Tommy Girl que es una falta de respeto, pero debajo estás tú con ropa interior brasileña, yo sé a qué hora se te antoja tomar té y cuántas noches a la semana cogías con Santiago; la verdad pocas.
—No le voy a hacer esto, fin de la discusión.
—Si me vas a rechazar por lo menos que no sea por luterana, por el qué dirán; dime que no quieres tú, no que es por él.
—No eres guapo y eres un viejo, y presumes demasiado y eres menos inteligente que nosotros; nunca te van a contratar en Berkeley.
—Escucha, yo voy a hacer que no quieras ir a dar clases en Berkeley, ¿sabes cuánto ganaba en México?
—La parte cien de lo que mi novio modelo de la Banana Republic.
—No sabes nada.
—No, no sé nada y no quiero saber nada, gracias.
—Creí que los buenos académicos eran curiosos.
—Curiosidad dirigida.

Puedo oír al hombre y a la muchacha, puedo oír más allá o más acá de sus palabras, su volumen cada vez más bajo, su tono que revela un cansancio grato, un silencio inminente, un silencio que nada a contracorriente de lo dicho. Oigo un silencio al que están por llegar, un silencio que desean, el silencio al que se llega hablando. Oigo sus palabras y oigo también, ya, el final de sus palabras. Veo al hombre y a la muchacha en su silencio, en una oficina que ha quedado a obscuras. Veo cómo los alarma esa obscuridad y cómo para alguien más un escritorio de metal verde/ cómo se dejan resbalar al suelo / cómo él se sienta en una silla y ella desciende sobre él, sin usar las manos. En la obscuridad, los veo. En el silencio, los oigo.
    El hombre que no soy y la muchacha que está dejando de ser mi esposa.

Te digo que no entiende enana.

–No, lo que no entendió es por qué les ponen nombres a unas vacas que luego van a sacrificar para que se las coman los gordos del diner.

–Pues para distinguirlas ¿no?

–Tú tampoco sabías antes de que ellos te dijeran, melonheart, así que deja de cheronquear.

–Cuéntame más lo de Lucilo.

–No tendrías que haberle dicho lo de Miguel y Kay, al final no es su problema y se va a preocupar.

–Más bien yo creo que va ir a ponerlo en el libro de sus hazañas.

–¿Qué libro de sus hazañas?

–Pues donde escribió que se echaba palos con la narcotraficante en una antigua casa de Miguel Bosé.

–¿Sabes que la narcotraficante, como tú le dices, tenía bigote?

–¿Cómo bigote?

–No un poco de pelitos como las farsis: bigote, mostacho.

Decía mostacho porque se lo oyó a Miguel cuando contó las semanas del encierro desincompletador de Federico y le pareció muy chistoso. Podía acordarse de cosas inverosímiles, no la Canción de amor de J. Alfred Pruffock, pero sí la lista de todos los incas, los nombres en quechua de veinte tipos distintos de papa, las posiciones de una docena de rutinas de yoga.

–El café de ese lugar te hace daño enana.

—No, te lo juro. Me enseñó la foto el otro día y tenía un bigotín como de guapo de los años veinte ¿cómo se dice?, dibujado a lápiz.

—Puta, ya sabes más español que yo ¿segura no es algo que le agregó tu amigo Lucilo en photoshop?

A veces los amigos de nuestros amigos, a quienes nunca habíamos visto, se nos filtraban en la vida como si fueran personajes de una novela o como los filósofos que me interesaban tanto que eran dios o como Mario.

Mario había sido el novio de Lucio en el mundo entero durante una mañana. Entró a la oficina y encontró todos los muros y el techo llenos de los pósters de un modelo con la braqueta a medio disolver, el pecho liso y abdominales impecables. El novio modelo de Ana. Rubio con el pelo largo. Todo el mundo se rio; Lucio se rio y cuando se puso a trabajar, su cuenta de correo electrónico estaba repleta de cartas de todos sus amigos, todos: gente que vivía en Viena o en Sydney, que llevaba años sin ver. Cartas de sus amigos, felicitándolo por haber salido del clóset.

De alguna manera entendía por qué Ana no me lo había contado.

—Sabes, vi a Miguel y a Lee juntando toneladas de fotos y pensé que las iban a usar en una clase sobre las partes del cuerpo Nan.

—Me enoja muchísimo.

—Creo que entiendo.

—¿Qué?

—Te digo: te enoja el asunto de las bromas pesadas, te parecen inmaduras.

—Me recuerdan a los fratboys.

—Yo creo que la broma sirve para decirte que eres parte de un grupo. Es un rito de paso y te invita a la risa colectiva.

—¿Eso dices en tus clases?

—A veces pero no me entienden.

–Lo sacaste del libro del regalo.

–Lo pensé desde Bataille.

–Deberías leer antropología más actual San Bobo.

Casi nunca cuestionaba mis lecturas, pero a veces, cuando me sentía acercándome a sus campos, me daba algo. *Condor Mamani*, James Clifford, *Casa grande e senzala*. Esos libros que nunca voy a poder olvidar.

–Lo que me sorprende es que nadie haya dudado que salió del clóset.

–¿Neto te sorprende enana?

–Ha tenido once novias en un semestre San Bobo.

–En un semestre y medio. Eso es sospechoso, tanto como no tener novias: es una hiperafirmación psicótica de la virilidad.

–Tú eras igual, mis amigos que jugaban futbol eran igual.

–Pero tú nunca fuiste así enana.

–¿Nunca fui diabla? Y tú qué sabes, a lo mejor me da a los cuarenta años.

–Y te coges a todos tus alumnitos de Berkeley, no serías la primera.

–No entiendo.

–Dicen que Foucault hacía lo mismo.

–Y Quevedo nos ha repetido mil veces que es una leyenda urbana.

–Methinks Quevedo protests too much; imagínatelos chiqui chiqui chiqui en su oficina, viendo el Golden Gate cubriéndose de niebla. Ah y es leyenda negra, no urbana.

–Creo que al que le afecta ese café es a ti San Bobo.

Nos gustaba estabilizar el mundo con explicaciones. Aunque mi persona académica fuera una permanente reconfiguración de significantes que derrapaban hacia el agujero siniestro de lo Real del deseo, de ejes metafóricos tratando de escapar la velocidad de la metonimia, de juegos contrahegemónicos en espacios ideológicos, de realizaciones temporales de géneros dudosos, de listas de mentiras recientemente demolidas por el platonismo inverso, el hegelianismo leído desde la desconstrucción radical o la versión secular de Sanpablo, en el coche con Ana oyendo cursiladas tiernas en el radio, prefería un mundo repetido firmemente en sus rutinas, unívoco y de preferencia buenísimo. Prefería no ver.

En el camino de regreso quería preguntarle por qué Lucio le decía Ana, y no Ca, igual que a todo el mundo. Pero pusieron Summer of 69 y cantamos con las ventanas abiertas en medio de la noche hasta que llegamos a la casa justo a tiempo para oír el final de la canción y entrar de humor de sexo gozoso, pero no urgente, de besos platicantes, de seguir el chisme mientras las manos iban descifrando botones y agujetas y cierres y broches.

–Déjame ir al baño.

Y la oí orinar largamente riéndose todavía de su propio chiste y pensé en el poema de Neruda y lo busqué pero cuando salió sin ropa cerré el libro sin marcar la página y probé su sexo y le dije que sabía a topo.

–¿A topo?

No le contesté, pero después se rio un poquito, entendiendo mientras gozaba.

–¿Que pedo con la moleskine? Santini le tiene miedo, cree que tienes ahí las listas de tus chicas.

–No ca, apunto otras cosas. Escucha: Cada facultad, incluido el pensamiento, no tiene aventura alguna sino la involuntaria.

–¿Proust? –dije.

–No. Bueno no sé, lo encontré escrito en el pizarrón del 2212.

–¿No sabes quién da clase antes que tú? –dijo Ana.

–Prefiero no ver Ana, me gusta así.

–¿Te gusta así? –le pregunté a Ana en la casa.

–Sí, sí, sí, sí.

Dime su cuerpo, di coger con él. Estaban en una fiesta y se fueron juntos. Puedo verte sonreír. Sales sin despedirte de nadie. A él Federico lo ve pero no lo saluda. Lo ha estado viendo toda la noche. No deja de verlo desde hace tiempo.

–Lleva su bastón y esos pantalones de tela muy rica, viscosa, color chocolate, sus zapatos italianos que le dan tanto orgullo, una camisa de ante color borravino. ¿Se puede decir borravino?

–Borravino está bien.

–Ya es muy tarde, hemos bailado, fumaron mucho en la fiesta, pero él sigue oliendo profundamente a su loción de florecitas.

–Creí que las lociones no eran buenas.

–Las de pino y las de almizcle.

–Me voy a comprar una de florecitas.

–En la fiesta no me dejó besarlo.

–Como puta pero al revés. Como si fueras tú su cliente.

–No me afectó así, no lo pensé de esa manera, yo creí que era para protegerme. A la mejor hasta me dijo que era para protegerme.

–No te acuerdas.

–La verdad no mucho, es algo sin importancia Santiago. Me acuerdo por ejemplo que era cuarto creciente.

–Un acostón en cuarto creciente.

–Sabes que no me doy acostones.

–¿No?

–No. Los celos son muy malos: Esos celos.

–Entonces sí te acuerdas y estás jugando a que se te olvidó para protegerme a mí. Mejor ya dime lo importante ¿a ver, de qué tamaño tiene la verga, es un monstruo?

–¿Te dijo lo del bastón?

–Una vez le pregunté pero no me contestó.

–Le pedí que me llevara a ver esas fotos tomadas desde el cielo y él me dijo que me iba a llevar porque ya no aguantaba más sin besarme.

–Le dabas pena.

–Dijo que si yo quería contarles a mis amigas chido, pero si prefería no contarles estaba en mi derecho. Dijo chido y me reí. ¿Tú dices chido Santiago?

–Me lo imagino diciendo chido. Ya me habías dicho lo del bastón.

–No importa, olvídalo. Afuera, en la calle, mientras esperábamos un taxi, nos dimos un beso, el primer beso y supe que ajustábamos. Si no, no me hubiera ido con él.

–Para reputa.

–Paro pero sólo si me prometes que no vas a preguntar más.

–¿Te dolió mucho? Seguro te encantó. Mejor dime por qué no siguieron cogiendo. ¿O siguieron?

–Supongo que no le gusté lo suficiente o que no sé chantajear. A lo mejor no le gustan los perros.

–Entonces querías verlo.

–Mira, estaba sola. Y desde el principio tú insististe en que lo conociera.

–Y qué, estar solo es lindo. Y dijiste siempre que no querías casarte.

–¿Cuánto tiempo estuviste solo en tu vida pinche Santiago?

–Siempre.

–¿Quieres oír?

Llego a su casa y no tiene las fotos en las paredes sino en el techo. Causan un efecto extraño porque están tomadas des-

de el cielo. En todo caso, deberían estar en el suelo o sobre la mesita, pero la mesita la tiene ocupada con una libreta negra y con una montaña de libros a medio leer y con una tacita de café que dice Chez Maxim's. No sólo están en el techo sino que están puestas ¿entiendes? Se nota que pensó dónde acomodarlas. Al final se pueden mirar, porque está una sobre el sillón, otra sobre la mesa del comedor, que tiene también copada de revistas de arte y con su computadora y con una pecera donde salen burbujas pero no se ve que nade nada, y claro, otra sobre la cama.

—Toda su casa es un escenario. Nunca lee sus libros, ni las fotos son para él.

—Me recita algo sobre el espacio escultórico y luego se ríe de estarme recitando porque dice que lo que le gusta de mí es precisamente lo opuesto, que tengo la cara de que no quiero que me reciten ni que me regalen flores ni que se enamoren de mí. Dice que tiene miedo de que le empiece a hablar de Lacan cuando estemos en la cama.

—Pero si nunca hablas de Lacan Kweelen.

—Me lo dice en frío, cuando todavía no empezamos. Está preparándome un armagnac. No me pregunta. Quiere presumir esa botella de veinticinco años y las copas hermosas. Yo estoy muy callada. Cada vez que entro al departamento de un hombre me arrepiento.

—Espera.

—Miro por la ventana, hacia el parque, o hacia el trozo de parque que no tapa el container donde van a terminar los pedazos de un edificio que aún no han comenzado a demoler. En el parque hay un chico con un perro y un búmerang que brilla en la obscuridad. El chico trata de que el perro se interese en coger el búmerang pero a la que hipnotiza es a mí. Ves, me dice Lucio, ya estás allá, donde te gusta. Y yo me cojo el sombrero que tiene en la pared, me lo pongo y le quito toda la ropa. El segundo beso que nos damos sabe a

157

armagnac. No sé si bueno o si malo. Es la primera vez que lo pruebo.

–¿Y el armagnac no te hace mal?

–Si es de veinticinco años, no. Qué pensabas, me pregunta. Y yo le contesto que pensaba en condenar. Como los edificios que van a tirar, están condenados. En México, dice, se dice condenado en el mismo lugar en que se pondría pinche. Condenado Lucio. Y entonces me quita la ropa y me deja el sombrero y me mira. Sin tocarme, como decidiéndose. Lo empujo a la cama para que deje de mirarme. Lo beso y lo abrazo con las piernas y toco su sexo para ver si ya está lo suficientemente duro. Trata de no lastimarme, pero lo obligo a lastimarme. A veces soy así, Santiago.

–¿Cuántas veces bombea antes de venirse?

–¿Tú sabes cuántas veces bombeaste la primera vez que hiciste el amor, la última, en promedio pinche Santiago? Por favor, pareces novela de realismo sucio. Hicimos el amor, en la posición del misionero, por si prefieres imaginar mejor. Con la luz encendida. Y pude ver la espalda muy morena de Lucio y la fotografía del estadio lleno, de noche, y marearme un poco. No tuve orgasmo pero tampoco me faltó mucho. Me prestó un pijama que me quedaba larguísimo aunque no se me caía y él se puso otro bastante parecido. ¿Quieres una aspirina?, me preguntó; es mucho mejor si te la tomas la noche anterior y hasta tengo mota si se te antoja. La marihuana me hace mal, le dije. Pero me tomé la aspirina. A la mañana siguiente hice té y encontré dos bagels y queso para untarles que no les unté porque no como queso. Eso es todo.

–Y luego no se acostaron ni una vez.

–Sí, una vez más. Escucha. ¿Aún quieres escuchar? Salimos de clase de Surinam, y me lleva a caminar, largamente, pidiéndome que le haga un favor. Qué favor. Esto, acompáñame. Lo voy acompañando. Lucio mira al cielo y se ve preocupado. Mejor olvídalo. Qué tienes. Lo que tiene es que me está

llevando al motel de Psicosis, como tú le dices, y se va a perder todo el efecto porque es de tarde y no de noche y el clima está demasiado hermoso: es tiempo de cisnes. Porque esa tarde no es el motel Bates, como dices que le dice Martín Romaña. No es nada, es simplemente un motel piojoso, aunque tenga la casa antigua presidiéndolo.

—*A veces no te entiendo, Kweelen.*

—*¿A veces sí, Santiago? ¿De verdad?*

Zazanis.

–Here.

Lo vi dar una clase. No era lengua sino una de las introducciones a la literatura. Entré cuando estaba terminando de pasar lista.

–Déjenme presentarles a otro maestro del departamento: Santiago Ojesto.

Lisa me saludó. Había otros que tomaron clase conmigo pero no sacaban tan buenas calificaciones. En la esquina descansaba su bastón descarado.

–Se acuerdan que estábamos en el tema del paseo, el paseo como modo de leer es mejor que la enciclopedia, que significaría tener que leer todo. El paseo en cambio es la búsqueda de placeres.

Ni siquiera pestañeó. Traía cinco o seis libros y su moleskine. Pero no la abría. No la abrió esa mañana.

–A ver Lisa, quién es tu paseador favorito.

Porque me había saludado. Porque había sido mi alumna. Igual yo le preguntaba a ella primero. A Lisa le gustaba brillar.

Me había contado de cuando intentó ser modelo de pintores. Fue a un centro comercial. Entró a la tienda donde le habían dado la cita. Le dijeron que se quitara la ropa y se largó.

–Borges. Bueno tú crees que Borges.

–¿Y el tuyo?

–No sé, déjame pensarlo más, pero Borges parece la respuesta obvia, demasiada.

–Demasiado. ¿Tony?

–Sor Juana.

–¿Por qué Sor Juana?

–Porque era monja y pensaba en el sexo todo lo largo del día.

–Bien ¿y entonces? ¿Quieres ayudarlo Ike?

Ese momento del semestre cuando te sabes los nombres y no sólo los nombres sino qué van a sacar al final, cuántos libros leyeron, de quién son amigos.

–¿Sor Juana no está bien?

Lo único que no sabes es lo que piensan de ti.

–No mano, me vas a matar.

A los alumnos no les decía ca sino mano. Y a las alumnas comadre. Nos había contado. Le había contado a Ana y Ana me lo había contado a mí.

–A ver, piensen de verdad en un paseo. ¿Cómo habíamos quedado que se dice paseo?

–Promenade.

La voz chiquita de una muchacha insolente que le coqueteaba.

–Promenade –repitió Lucio pronunciando pésimo. Como si rimara con lemonade.

No oía la diferencia. Sus alumnos no entendían paseo. A lo mejor no importaba. Habían leído un poco de Bernal, un poco del Inca Garcilaso, un poco de Sor Juana, un poco de Sarmiento, un poco de Asturias, un poco de Borges, un poco de García Márquez.

–El que se pasea bien es el que escribe en inglés.

Un punk. De la octava resurrección. ¿Tenían idea que había punks de la edad de sus padres? Pero eso no se preguntaba. Nunca.

–¿Por qué, Waist?

¿O Waste?

–Pasea bien entre sus muertos, y cuando le gusta alguno, lo abre, muestra todas las ¿cómo se dice layers?

161

–Capas –dijo la coqueta. Que también le coqueteaba a Waist. O Waste.

–Muestra todas las capas; desde la enfermedad que mató al cadáver saca su vida.

–O sea que pasea entre muertos y dentro de cada muerto.

–Couldn't have said it better myself.

Podía imaginar a Lucio pidiéndole discos a Waste y sorprendiéndolo. Podía imaginarlo cogiéndose a la coqueta, a Lisa, a varias más. Pero con todo, no a cualquiera. No a todas, carajo.

–Te interrumpí Waist, sigue con González Crussi.

–Ya terminaste por mí.

Lucio le pintó un violín. Todos se rieron. Yo tuve que esforzarme para aguantar. Se movía, miraba a la gente a los ojos.

–Éste fue mi paseo favorito.

Apagó la luz y bajó la pantalla, en el retroproyector había una transparencia. Eran citas de los trabajos de los alumnos. Se había robado el método de Ednodio pero había eliminado la vergüenza de los nombres. Con la pantalla encendida, pasó copias de su selección.

Se había robado el método de Ednodio pero para causar el efecto contrario: eran ejercicios de admiración. Estaba mostrándole a sus alumnos lo inteligentes que eran. Y eran. Si uno pasaba el tiempo suficiente buscando en sus ensayos, siempre se podía encontrar algo. Preferí pensar que Lucio había corregido la ortografía.

–¿Quién escribió qué? –preguntó uno que parecía dormido todo el tiempo, con gorra de los Orioles, lentes de aros muy pequeños, un poco de acné.

–Eso no se los voy a contestar yo, platiquen, confiesen, presuman. Si quieren.

Les dejó las evaluaciones y yo me quedé sentado, sabiendo que esos muchachos y muchachas escribían comentarios entusiastas.

No quieres hablar más, Santiago.
–Creo que ya no tengo nada que decir.
–Pero no contaste la historia.
–A ti no es necesario contártela. Mejor callémonos un rato.

–También te pusiste loción San Bobo. Ya me están dando celos y todavía ni te subes al avión.

–Me gusta que te den celos amor.

–Toma. O no, mejor no; no metas la mano hasta que me haya ido. Te quedas parado ahí a la entrada y miras el coche y cuando ya no queden ni las luces, exploras.

Y me quedé parado ahí, en la entrada, viendo nuestro coche, el de la música de los amantes, el de los infinitos chismes después del chino, después del diner, el coche con el que habíamos matado un venado. Me acordé del poema de Carver y me vinieron lágrimas a los ojos. No me dio tiempo de abrir mi regalo porque apareció Kweelen.

–Cambiaste.

–Claro Santiago, si el del supershuttle llegó por mí a las cinco de la mañana en lugar de a las seis. ¿A ti te trajo Ana?

–¿Por qué no nos avisaste para que pasáramos por ti?

Pero yo estaba diciendo otra cosa. Sin saberlo. Nunca se sabe cuándo se empieza a saber.

–Aunque sea su esposa, ella tiene que llevar su boleto –dijo el de seguridad.

–Pero no es mi esposa.

–¿Eso es lo que llaman dirty look Santiago?

–Supongo que sí. Ahora en motivo de viaje tienes que escribir Falso adulterio.

Era raro estar en un aeropuerto sin Ana. Ella volaba sola a Perú pero yo no, la última vez que había volado sin ella había sido al llegar al doctorado. Con una sola maleta y un libro de Miguel que traía apuntado su teléfono.

—¿Sabes lo de Brodsky?

—No Kweelen, qué de Brodsky.

—Vuela a Inglaterra y le preguntan si el motivo de su viaje es business or pleasure y él contesta How do you call a funeral?

—Es hermoso y chistoso y triste. Gracias Kweelen.

Luego supe que se lo había contado Lucio. Nadie me lo dijo.

—¿A cambio me vas a obligar a ir contigo a Teotihuacán y a oír mariachis?

—Creí que se decía Teotihuacan.

—Sí pinche Kweelen.

Yo había tomado su pluma y Kweelen estaba leyendo los poemas de Auden que yo llevaba.

—Me gustan tus notitas.

—Deja eso. Además no puede ser que las entiendas.

—Entiendo tu letra.

—Ésos son mis diarios más íntimos.

—¿Usas la misma pluma para subrayar el mismo tipo de cosas Santiago?

—No sé.

—En dos horas yo te voy a decir. ¿Cuánto dura el vuelo?

—Si en dos horas me dices, voy a tener que expulsarte del doctorado nada más para conservar la dignidad.

—Entonces léeme tú.

—No.

De pronto Kweelen me estaba viendo muy divertida, con otra cara que no tenía en las clases ni cuando almorzábamos juntos. Quizás en las fiestas o sola en su casa cuando se miraba al espejo después de lavarse los dientes y consentir a Genji.

—¿Has viajado mucho?

—Conozco casi todo el este de Asia y he estado en Filipinas, en Fiji, en Hawai y en Australia.

—Yo creí que nunca iba a regresar a México.

—¿Y qué haces en este avión?

—Dándome cuenta.

—¿De que extrañas tu microciudad?

—No, de que México significaba otra cosa.

En la revista del avión había uno de esos reportajes cursis de Java y un crucigrama a medio llenar. Creí que Kweelen me iba a decir algo al respecto pero no. Prefirió revisar el mapa del aeropuerto.

—Y ahora vas a arrepentirte de no haber traído a Ana pinche Santiago.

—No sé, a lo mejor está bien explorar antes el terreno.

—Yo siempre quise ser chica exploradora pero mis hermanos me molestaban.

—¿Cuántos hermanos tienes?

—Tres, todos muy malos. Tú tienes uno.

—¿Te conté?

—Claro que no. Pero hay cosas que se saben.

—¿Como que debo tomar té verde?

—No te has tomado el té verde que te di.

—¿Eres muy bruja?

—Un poco pero esto es otra cosa más fácil. Eres el chico ¿verdad?

—Mi hermano decía que los primogénitos se hacen escritores y los benjamines críticos.

—No entiendo Santiago.

—Que él no se hizo escritor sino dentista.

—Por eso tienes dientes lindos.

Tomé un trago de jugo para hacer un buche discreto y limpiarme alguna posible migaja.

—Antes de que llegaras Ana me dejó un paquetito para que lo explorara.

—¿Y exploraste?

—Todavía no.

—Necesito usar el servicio –dijo Kweelen, en deslumbrante español.

—¿Para que abra mi regalo?

Negó con la cabeza. Y se alejó por el pasillo. Vi cómo se prendía la luz roja del baño de mujeres. Me asomé por la ventana. No se veían sino nubes. Luego abrí la caja.

—Era este anillo –dije, sin que me preguntara.

—Es un poco chico ¿no? Deja me lo mido. Si me queda es mío.

—¿Es una costumbre china?

Me sonrió. Se había pintado los labios y reacomodado un poco el peinado.

—Una vez Ana se enojó y fue corriendo a echarlo a un estanque en el fondo del jardín, quebró el hielo y lo tiró dentro. Luego lo busqué y no lo pude encontrar nunca.

—Claro que no Santiago. Ana rompió el hielo y guardó el anillo en un cajón hasta hoy en la mañana. Estaba buscando tu pasaporte y lo encontró.

—Pinche Kweelen.

—Es que a veces no sabes ver Santiago.

—Chinga tu madre.

Para mí chinga tu madre ya no era malo, yo nunca nunca nunca se lo decía a nadie, porque era una palabra de amor, un juego casi imposible de comprender. Pero en el avión, mirando los bosques de nubes dije chinga tu madre y me oí decirlo y no tuvo nada de raro.

Cuando aterrizamos me tomó la mano. Le tomé la mano.

—Me haces bien Santiago. Gracias.

No intenté hacer una pausa para ver la ciudad, para sumergirme en su luz de lluvia o en su olor a muerte. Vine a México para ver que todo había terminado. Para saber que Ana finalmente me había curado, que ya no eran necesarios los miedos ni siquiera los rituales detrás de los que me había escondido para curarme de los miedos. Fui a México a leer un ensayo sobre el recuerdo de la ciudad del pasado en la obra de José Emilio Pacheco con la vaga esperanza de que alguien se lo dijera y la curiosidad lo llevara al público.

—¿Y si llega no te va a dar muchísimo miedo Santiago?

—Sí pero tú me vas a agarrar la mano.

En un bar al que nunca había ido, pedí tequila para los dos. Una marca que no existía antes de que me fuera.

—No me hace bien el tequila.

—Pero a mí sí Kweelen.

Le fui contando mi vida antes de este viaje, con calma, en orden, como nunca hacíamos allá. Aquí, con dos caballitos de San Emiliano Blanco, era posible decir todo completo. O por lo menos sentí ganas de intentarlo, de sentarme frente a estos tequilas extraños, y con unas jícamas cubiertas de chile piquín que entusiasmaron a Kweelen comenzar un relato de mi vida.

Empecé por mi infancia, tan normal, con mi hermano grande. Con mi papá que quería que fuéramos futbolistas y mi mamá, que aún no volvía a ser psicóloga, todavía no abría su consultorio.

—Quise mucho a mi hermano Raúl, de niño, de niños. Íbamos a la misma escuela, salíamos a la calle a jugar, nos contábamos historias larguísimas, sobre niños extraños y casas viejas de la colonia. Inventábamos fantasmas, nos encantaba el terror porque lo sentíamos muy cerca de nosotros.

Sólo el primer tequila lo dediqué a esos días felices.

Luego nos dejé crecer.

—¿Voy bien, Kweelen?

—Todavía te falta estilo pero es cuestión de práctica.

Pedimos más jícamas y otros dos tequilas aunque Kweelen no se había terminado el primero. Así que empezamos a crecer. A diferenciarnos, Raúl y yo.

—Él empezaba a hacer cosas y yo a sentir asco de lo que hacía, así que yo no escogía, nada más trataba de ser su opuesto.

–Él escritor y tú crítico.

–Él criminal y yo santo Kweelen. Se nos murió el primer perro, el Orito, y tuvimos al Santo. Al Santo ya no lo sacábamos a pasear juntos.

–¿Me llevas a la tumba de tus perros?

No le contesté. La miré mucho.

–Tienes lindo pelo y lindos ojos.

–¿Como Odette?

–¿Perdona?

–Odette, la de Proust, ¿te acuerdas en El mundo de Guermantes?

–Sólo he llegado hasta A la sombra de las muchachas en flor. A lo mejor porque no logré nunca vivir en esa calle Swann.

–Pero está en la ciudad ¿no?

–Claro, ése es el problema.

Bebí un sorbo largo de mi caballito. Kweelen me acarició la mejilla.

–¿Estás bien Santiago?

–Estoy mareado y estoy muy bien, gracias. Y gracias es sobre todo por pedirme lo que me pediste.

Supe que nuestra plática iba a ser larga, que iba a llegar lejos, hondo. Pero tampoco había ninguna prisa. Las reglas de nuestra microciudad anterior se habían disuelto, y ahora se volvía posible, necesario volverse a decir desde el principio.

–Cumplí doce años mientras Raúl ya manejaba, ya comenzaba sus interminables listas de novias, ya se estaba yendo. Pero él tenía razón, porque mi madre se había perdido en su enfermedad, y mi padre estaba haciendo cosas inconfesables que yo no podía articular pero que se le iban notando en la manera en que regresaba a la casa, en que la habitaba, en que se sentaba cada vez un poco más lejos de todos a ver televisión. Siento que el único que siguió inmóvil fui yo. Tremendo imbécil.

–También dime el presente Santiago.

–Te lo voy a decir cuando empiece a verlo. Siento que estoy haciendo otro presente, Kweelen. Te voy a llevar a todas mis tumbas, nada de Teotihuacán.

–Teotihuacan.

Y le conté de cómo empecé a enredarme con los libros de Raúl, con los discos de Raúl, con los amigos de Raúl, con sus novias. Lo que nunca le había dicho.

–Yo siempre dije que sí.

Trajeron más tequila.

–Me gustan esas pelotitas.

Las pelotitas de hulespuma que parecían cometas con sus cabelleras de papel plateado.

–Me gusta que las veas, me gusta el Zócalo así, con tanto sol, todavía temprano; al rato arrían la bandera y es divertido, ya verás.

–Ya veré otro día, quiero caminar un poco, porque mañana nos toca congreso.

–Nos terminamos los tequilas y ya está.

–¿A Ana no le gusta el tequila?

–No ¿cómo supiste?

–Me imaginaba.

–No imagines. Ana es maravillosa; cambia y cambia.

–No te enojes Santiago, yo sé lo linda que es, la admiro.

–Nomás cállate Kweelen.

Se calló mientras caminábamos, mientras me miraba reconociendo mi ciudad, lo de siempre y lo reciente. Le expliqué lo que quería decir Licenciado Verdad.

–Me gusta el nombre.

–Ahí había dos viejos amargos que habían sacado su tablero de ajedrez y jugaban muy rápido aunque no tenían reloj.

–Estabas con alguien más.

–Estaba yo con otra vida. ¿Quieres de verdad que te cuente todo?

–Claro, qué es una tumba sin historia.

–Bueno si quieres de verdad que te cuente todo, espera a que llame, porque no sé a qué hora vamos a terminar esto.

–¿Quieres llamar desde el hotel?

–Es más barato usar la tarjeta desde un teléfono público.

Me alejé y la vi fascinarse por la tienda de uniformes militares o quizá por la vecindad que se entreabría detrás de la tienda de uniformes militares.

–¿Y?

–Y nada, no me contestó.

–¿Qué hora es allá?

–Una hora más que aquí.

–Entonces no es muy tarde, capaz que salió al mercado o se fue a ver a sus amigas.

–No, no tiene amigas. No sé si tiene que ver con el puritanismo pero es hipermonogámica, incluso a ese grado: no le gusta ver a nadie más.

–¿Ni a Kay?

–Especialmente a Kay.

Creo que aunque se equivocara, confié siempre ciegamente en ella, en sus consejos que luego no obedecía; en su capacidad para escuchar más allá de las palabras.

–¿Sabes que siempre inventan historias del pool mexicano?

–¿Qué pool mexicano?

–Pero obvio: Lucio, Miguel, Kay, Ana y tú.

–Ana sólo los ve conmigo, cuando salimos en grupo.

–A Lucio sí lo ve.

–Bueno en la oficina.

Todo regresaba, desde su extraña nitidez, a mis ojos y a mi memoria. Estaba viendo con la memoria. La gente en los alrededores del Zócalo era otra, y al mismo tiempo no. Su geometría, los grupos que formaban, parecían dibujar las mismas figuras de un siempre que no sabía explicar pero sentía hondamente. Y sí, pude ver de nuevo a los muy pobres, a los muy tristes, a los que esperaban morir solamente en el centro de la ciudad; todos los que hubiera preferido no recordar.

—Dime de tus casas.

—¿Mis casas, mis casitas con Ana?

—Decide tú; siempre estás hablando de casas. ¿Cómo sería la casa que yo necesito para escribir una novela?

—No sabía que quisieras escribir una novela. ¿La historia de Genji?

—Todos, Santiago, todos todos todos en nuestro mundito queremos escribir una novela. Pero no, en realidad lo que escribo es poesía.

—La casa ideal ya contiene la novela, en cuanto un escritor se puede imaginar su casa, es que tiene un libro en mente. A lo mejor también en las casas residen un cierto número de poemas para ciertas personas. Hay libros de poesía que me llevé de México y ya no pude volver a leer.

—Auden, por ejemplo —afirmó—. ¿Si vas a casa de Miguel sabes qué va a escribir?

—Si yo fuera un crítico lo suficientemente bueno podría. No sé cómo decirte esto.

—No digas nada, deja que mire y listo.

—Bueno.

—Pero tampoco te calles si quieres decirme algo.

—La primera vez que vine a Santa Teresa la Antigua me trajo una amiga, y antes de traerme me la había contado pero yo no te la voy a contar. También porque ya no es el mismo lugar.

—A ver, aprovecha y explícame esa diferencia que tanto te inquieta entre espacio y lugar.

—No. Te explico lo que te dé la gana cuando regresemos.

—Cuando regresemos no me vas a explicar nada.

—Mejor hagamos esto: entra sola mientras llamo y me cuentas tú Santa Teresa.

Fui, por superstición, a otro teléfono. Más lejos, con mucho más ruido alrededor. Casi frente a El Nivel. Cuando estaba marcando pensaba en cuando Ana me llamaba desde alguna plaza de mercado en Perú, en Ecuador, en Bolivia, y su voz se torcía y los ruidos de la calle se metían y me sentía cerca y muy lejos y le juraba que la siguiente vez sí iba a volar con ella y subir a la puna y comer las papas hervidas y cortarle el pelo por primera vez a algún niño.

–No te contestó de nuevo.

–Sigue fuera.

–¿Entonces por qué esa cara de susto?

–Dime Santa Teresa.

–No entiendo qué hacen esas escaleras y esas oficinas de metal allí colgadas.

–Antes no estaban. Era de noche y hubo un concierto para celebrar un vernissage. Después salimos al patio. No habían puesto ninguna de esas estructuras de metal horrendas. Estaban los que exponían y sus amigos. Yo era amigo de una amiga de alguien: una fotógrafa hermosa que trabajaba con peces y cuerpos. Y alguien sacó tequila y tomamos tequila sentados en lo que había sido la fuente, en las bases de las antiguas columnas, rodeados por las casas muy viejas, por las ventanas encendidas, por las miradas curiosas que se asomaban a ver a esos muchachos que ya no habían conocido el Centro, porque ya nadie iba a preparatorias oficiales, porque ya nadie vivía aquí, sino en la Roma, en San Ángel, en Las Lomas, en Xochimilco, en Coapa.

–Sigue.

Ya no me daba cuenta de que Kweelen no podía entender la mitad de lo que yo le estaba contando. Quizá porque lograba entenderlo de otro modo. Como yo su delicada caligrafía o sus divisiones del mundo.

–Luego venía mucho, para exposiciones, para conciertos, pero sobre todo cuando la exiglesia estaba sola. A veces encontraba una orquesta de cámara ensayando mientras yo leía en el patio con Mascoto, que vino después del Santo. Otras veces no leíamos, veníamos nomás a mirar esas casas, tan hermosas, pobres y todo, con sus escaleras, con sus jaulas de canarios, con su luz de televisión.

—¿Sabes que hablas distinto aquí?

—¿Tan pronto?

—¿Podemos ir a donde está enterrado Mascoto?

—La microciudad de la muerte, mi pequeña necrópolis.

—Si no quieres déjalo.

—Quiero, quiero mucho, quiero enseñarte la placita pequeña con los nombres de tres arcángeles y bugambilias corriéndole encima, cobijándola. Quiero que caminemos por esas calles empedradas y que de pronto ya no esté recordando nada, sino esté, simplemente. Quiero ver si puedo estar.

—¿Por qué me das esto?

—Porque escribiste un paper sobre el concepto de nación en Monsiváis que les pareció lo suficientemente bueno a los del congreso.

—Útil quizá para terminar de poblar alguna mesa. O les pareció chistoso tener a alguien con un nombre malayo.

—Deja de chinar.

—¿De verdad no te molesto?

—No, en algún momento puede que necesite que me cantes. ¿Cantas?

—Me gusta pero no me sé nada.

Caminamos sin parar. Lográbamos mirar, ella con mis ojos y yo con los suyos. La distancia no nos cansaba. Y a lo mejor los tequilas hacían lo suyo, pero logré orientarme a la perfección.

—¿Tú que te sabes T.S. Eliot no sabes ninguna canción?

—Es diferente.

—Igual que yo. Me pasé tantas noches enchufado a unos audífonos sin aprenderme más que coros, fragmentos, frases que entonces me parecían importantísimas. Todas las respuestas me venían del radio. Creía que Dancing Barefoot era mía y que Alone era sobre mi soledad y pensaba que en What about me? el *me* era yo.

—No, Santiago, era yo y mis amigos me molestaban porque les parecía de lo más cursi, ellos querían que oyera Scorpions.

Y de pronto, casi inesperadamente, llegamos a esa casa que había sido mi casa.

—Era ésa. Ésa es pero estaba pintada de otro color, y también las cortinas eran distintas.

—Arriba en la azotea, aunque no se puede ver, estaba el cuarto de la muchacha.

—¿Lo demolieron?

—No, no lo demolieron; ahí debe seguir, pero ya no importa. De niños subíamos mi hermano y yo y nos metíamos en secreto, porque olía distinto a todo lo que conocíamos, porque tenía unas cuantas cosas muy pobres pero llenas de misterio; después, de adolescentes, en lo único que soñábamos era en volver, en pasar una noche en esa camita estrecha.

—Estaban enamorados de la criada.

—Sí. Súe jugaba futbol como una diosa y nunca contestaba el teléfono.

—¿Por qué?

—No importa mucho, a lo mejor otro día importa pero hoy no. ¿Quieres que intentemos entrar?

Yo sabía abrir esa puerta sin llave. Estaba seguro de que la chapa seguía siendo la misma.

—¿Crees que nos dejen?

—¿Tú le negarías el paso a una tumba a alguien tan triste como yo?

—Nunca.

—Y después tomamos más tequila.

—No, después nos encerramos cada quien en su cuarto a revisar ensayos, porque no sé tú pero a mí ya me entró miedo de mañana.

¿Dónde estabas enana?

–Around.

–Qué misteriosa.

Tenía muchas ganas de contarle o en realidad de contarnos todo lo que había sentido. Cómo podía ver en la que había sido mi casa cada uno de los objetos aun cuando ya no ocupaban sus espacios, cómo me reconocía a pesar de los nuevos muebles y los nuevos habitantes.

–Está bien, cuéntame cómo te ha ido en tu regreso triunfal a México.

Su tono no era ni siquiera amable pero supuse que era la desvelada, los nervios.

–Fuimos a mi casa de cuando niño.

–¿No la habían vendido?

–Sí pero el señor de la familia me reconoció, abrió la puerta y me preguntó de inmediato si era uno de los dos hermanos.

–¿Entonces?

–¿Prefieres que no te cuente?

–No, cuéntame, sigue contando.

–Entramos y pude ver el jardín donde está Mascoto. Se ha puesto bonito ¿a poco no?, me dijo el hombre; seguro se la pasaron bien de niños su hermano y usted, me dijo, y es que él no tiene niños; no me acordaba pero me acordé ahí mismo, y luego Kweelen y el hombre entraron a la casa y me pude quedar un ratito a solas. ¿Sabes Nan?, no lloré; no es que no pudiera sino que sencillamente no tuve necesidad, no quise llorar.

–Santiago.

–Dime.

–¿Qué pasó después de la casa?

–Cenamos tacos y regresamos al hotel y te llamé como un loco hasta ahorita que me contestaste, arounder; supongo que Kweelen sigue revisando su paper en su cuarto. Estaba medio nerviosa.

–¿Así que todavía no te la coges?

–¿Perdón?

–O antes de ir a tu casa estuvieron cogiendo y luego se bañaron para salir a pasear.

No entendí, no podía entender por supuesto; no podía entender.

–¿Te puedes calmar un poco y explicarme?

–¿Crees que soy pendeja?

–No, por supuesto que no.

–Pero te fuiste de viaje con Kweelen.

–No me fui de viaje sino a un congreso.

–En México.

–¿Entonces es eso, la ciudad?

–No me trates de cambiar el tema.

–Te escucho.

–No me escuches, contéstame, atrévete, no seas el pinche hermanito débil, ten por lo menos los huevos de Raúl y dime cuándo te la vas a coger.

En algún momento, a pesar de todo, por más que trates de guardarlo separado, por más que intentes ser un académico sólo cuando debes, el veneno fluye y empiezas a leer la vida como si fuera un libro, un poema, una página. Esto era el acontecimiento, lo que no se podía reconocer, lo que no cabía en los nombres de siempre.

–Enana.

–Lo dices mal porque te gana la culpa: ya no sabes decirme.

–Enana.

–Ya no lo intentes, mejor disfrútala; tenía que ser así ¿no? Al final no son tan diferentes Raúl y tú.

–Ana por favor.

–Por favor qué. No quieres que te lo diga.

–Ana, llegamos a México, dejamos las cosas en el hotel, paseamos un poco por el Centro y luego fuimos a ver mi casa de niño, después regresamos para poder llamarte de nuevo.

–¿Y cómo nos conocimos nosotros Santiago? ¿No te suena parecido tu propio cuento, no me estás contando la historia de Santiago y Ana?

–No.

–Te cuento yo, si quieres: llegaste y después de las primeras clases de Justusson te quedabas en el pasillo para poder decirme en las escaleras que si no fuera tan triste nunca me hubieras hablado y que estaba bien ser triste porque las mejores microciudades son las de los tristes.

–Y luego me di la media vuelta: quería decirle pero después no podía creer que se lo hubiera dicho.

–Lo de su madre –completó Kweelen.

–No, lo de su madre se lo dije después. Sabía que era una muerte, porque mi muerte, la de Paulina me habitaba, me sigue habitando.

–¿Quieres ir hoy?

–A ver cómo nos va en la conferencia.

Después de que me dijiste se murió alguien y supiste que era mi mamá confié en ti Santini, y me llevaste a caminar tantas veces sin hablar, apenas cuando venía el bus por mí y tenías que despedirte te atrevías o bueno ahora sé que no te atrevías, que estabas calculando tu silencio, que sólo ibas a decirme esas cositas chiquitas y muy hermosas y muy tristes para que me acordara de ti, para que te mandara un email y tú me contestaras.

–Cartas larguísimas, enfebrecidas, llenas de deseo pero que no correspondían con lo que vivíamos en los días en que nos encontrábamos en la clase y nos bajábamos todas las calles de la ciudad y la llevaba a restaurantes donde pedía la comida sin hablar, señalando del menú y le daba la comida en la boca.

–¿Como en ese pedacito de Cómo dejé de ser vegetariana?

–Como en Cómo dejé de ser vegetariana. ¿Te gusta?

–Me encanta.

–A mí me encanta también, aunque al final debería haber un solo taxista.

–No hay ningún taxista Santiago.

–¿De verdad?

–¿No te molesta que vaya contigo a la tumba de Paulina?

–Si no vas tú no puedo ir yo, Kweelen.

Me contabas de nuevo lo que habíamos hecho y lo que íbamos a hacer Santini, no lo que hacías en tu casa, en tus horas, en tus días de estar solo; me describías todo eso que habíamos visto en silencio, me hablabas de tréboles creciendo en el pavimento, ocupando hermosamente las grietas, con sombras que te recordaban mi manera de caminar y yo trataba de encontrar los tréboles en mi memoria, y regresaba y caminaba esa microciudad que estábamos dibujando hasta encontrar los tréboles y temblaba de emoción sabiendo que eran los mismos, hasta que llegaba alguien paseando dos perros y trataba de encontrar qué buscaba yo, qué podía haber encontrado. Me decías cómo íbamos a ir a buscar un poema sobre perros grandes que había escrito Mark Strand aunque no sabías el nombre del libro pero había un lugar donde todas las páginas olían a espliego y la luz era muy mala y todos los estantes quedaban en desorden y allí seguro lo iban a tener.

—Y lo tenían, Kweelen, era un milagro; yo gastaba como un loco pero de repente me publicaban un ensayo y me daban quinientos dólares, de repente me llegaba un cheque para comprar libros, encontraba estas personas maravillosas para enseñarles, hermosísimos locos, hombres de negocios con ganas de charlarnos porque éramos nosotros dos, tres ardillas chiquititas jugando su futbol con una bellota.

—Santiago eso te sigue pasando; ayer cuando estábamos en el Centro viste esa ventana abierta donde la muchacha le hablaba de cerquita a sus flores y las regaba rociando el agua con los dedos.

—Deja de chingar pinche Kweelen.

—No, no molestes tú: ¿tan pronto se te olvidó la cara del señor que les compró la casa, el gusto que le dio cuando te quedaste en su pastito mirando eso que no me has dicho?

—No te puedo decir todo.

—Sabes que sí. Que me lo vas a decir.

No quería acostumbrarme Santiago; Nassim me había dicho que no podía durar, que nada así podía durar, que un día íbamos a ser unos novios normales que hablan sobre lo que van a ver en el cine y la pizza que van a pedir, y yo sabía que no podía durar pero me gustaba verte porque me resultabas tierno así de necio, tratándome de dar estos paseos sonámbulos y alucinados; sabía cuánto te fijabas en cada uno de mis gestos porque luego me escribías esas cartas desde la biblioteca, desde cafés, desde tu casa a horas de la madrugada en las que me gustaba imaginarte desnudo.

—¿Desnudo?

—Claro que no.

—Pero no te enojes, toma un poco de agua tibia. Además tienes bonito cuerpo.

—¿Me estuviste espiando?

—Llevo unos añitos.

—No me jodas.

—Cada vez me da más envidia Ana por haber logrado eso, a mí lo más que me han dado es un poema malo y un disco pésimo.

—No lo hacía por ella sino con ella.

—No hay ninguna diferencia.

Y luego un día dejó de haber cartas porque Nassim tenía razón Santini, y ya no aguantabas y yo tampoco aguantaba así que nos vimos para besarnos como unos locos. Estábamos a millas de tu casa y de mi casa, de cualquier lugar.

—Te la hubieras llevado a un hotel pinche Santiago.

—A veces me sorprende tu vulgaridad Kweelen, de veras.

Y entonces caminamos escandalizando a la ciudad Santini, en un solo beso y casi nos atropellaron y yo pensé que eso era natural, que eso era lo que tenía que pasar después de tanto silencio y que así íbamos a ir por la vida siempre. Pero nunca volvió a pasar. Después de eso hablamos, después de eso sólo dormimos separados en los viajes.

—Y algunos miércoles que ella pasó en su casa pero como tres nada más, no importan; después de ésos nos convertimos en los que somos ahora.

Antes de ir la llamé por última vez y no contestó. Sentí que estaba allí y pude imaginármela caminando por el departamento, acercándose a la grabadora sin levantar el aparato, esperando.

Ana nos fue muy bien en la conferencia, quería contarte, quería decirte que te amo pero no puedo así, te estoy imaginando pero no entiendo, te veo y quiero abrazarte mucho, preguntarte con mi abrazo. Cierra los ojos y contesta por favor.

–No quiso contestarte.

–No.

–Y prefieres quedarte.

–Prefiero que vayamos.

–¿Seguro?

Y me puso algo que olía fuertemente a naranja detrás de las orejas.

–¿Qué piensas?

–En el sonido del hielo, en el sonido del hielo quebrándose.

Lo cuento yo, aunque deberías contarlo tú, Santiago:

Al cementerio fuimos en ese taxi que olía a vainilla y que iluminaba tu cara Santiago. No podías ir feliz pero en tu tristeza, en el luto que tratabas de completar, parecías orgulloso, como un adolescente que va a donar su sangre por primera vez. No sé qué pensabas. De vez en cuando emergías de esa serenidad que paulatinamente iba ganando tus temores para señalarme unos niños jugando a lanzar monedas en una esquina o una casa monstruosa con la fachada totalmente cubierta de piedrones de río; y no sé del todo porque ahí, a mis pies, en la base de la palanca de velocidades, bajo un trapo azul y sucio, asomaba una pistola. Era como esos viejos en las plazas que andaban con la verga de fuera. Me parece que yo siempre era la última en saber qué tenían de raro entre su mugre y sus barbas ralas y los ojitos de furia.

No sé o no supe y ahora cuando te lo vuelvo a contar, cuando regreso al larguísimo trayecto de este principio me parece que entiendo por qué el hombre que conducía, con bigote y un pelo que de inmediato me hizo recordar las fotos de Samuel Beckett, que ese hombre que llevaba su radio encendido (alcanzaba a ver una luz verde que brillaba y otra roja que parpadeaba de vez en cuando) encendido pero sin volumen, olvidado o esperando el momento en que comenzara el noticiero con el reporte del tráfico o los compases sigilosos de una canción preferida. Veo y siento todo con la nitidez de los principios. Pensé y sigo pensando que nos iba a matar para quitarnos los cien dólares que llevábamos encima, después tiraría nuestros cuerpos en el canal del desagüe, en un barranco, en la oscuridad inmisericorde de alguna barriada. Sé que no me equivoco: la pistola no era el arma defensiva de uno a quien vejaron demasiadas veces; no, el tipo cambió el plan; se convirtió en el taxista que se disfrazaba para asaltar.

Entonces la pregunta fue y es por qué. Y la respuesta, aunque provisional, sigue siendo invariable: recuerdo lo que sentí contigo Santiago, desde que al salir de contestar la última pregunta sobre tu ponencia pusiste tu mano sobre mi hombro y dijiste ¿Vamos?, con tanto dolor, con tanto miedo, con tanta decisión inmodificable. Eso de lo que volví a dudar cuando salimos de la autopista y el taxista nos miró por el espejo antes de cambiar de velocidad Santiago. Habíamos quedado ocultos por unos cipreses que te bebías con los ojos. El taxista se inclinó hacia su derecha, puso la mano izquierda en el trapo y aprovechando para verme las piernas dijo Servidos, al tiempo que abría la puerta. Tú pagaste y yo dije Gracias. Gracias por no matarnos.

—¿Estás bien?

—Sí.

No te mencioné la pistola. El auto, un escarabajo verde, había desaparecido.

—Ya no los van a fabricar.

—¿Te acuerdas cómo se llega?

No tuviste que contestarme, me contestó tu silencio de paloma mensajera.

—Camina de espaldas —dije.

Estabas de acuerdo pero jugaste a no dejarte convencer. Necesitabas tiempo para los primeros pasos vacilantes, un poco avergonzados de que alguien te estuviera mirando y luego mucho más firmes, conforme te abismabas en el pasado.

Busqué flores Santiago. Los puestos estaban llenos de coronas ostentosas y de nardos, así que tuve que pelear bastante por los ramos de rositas blancas. Te habías alejado pero aún podía seguirte a una distancia cómoda. Para ti y para mí. Me gustaba el aire tenue en este cementerio. Por lo menos aquí no me agobiaban el polvo, el humo, la mierda de la ciudad; aquí las cosas de nuevo se veían, cerca o lejos. Lejos, una mujer guiaba un burro cargado de cobijas de colores, la seguían dos niños que jugaban, todos colina arriba, absolutamente distintos del espacio verde del cementerio con verdes isletas de cipreses y de sauces creando cierto caos en esta geometría exacta de tumbas de clase media. Ya habían pasado de moda los capillones y los mausoleos que se ven en los viejos cementerios de Occidente. También en esto hay modas, geografías.

Cada tanto leía un epitafio. Los nombres sonaban como los de los hispanos vivos de la universidad. Pensé en Juan Rulfo recorriendo cementerios en busca de los nombres. Seguro son otros cementerios. Y luego me quedé pensando en cuándo lo supe y me vino a la memoria la fiesta donde me lo había contado Lucio. Presumiendo, como siempre. Le pregunté si servía de algo saber esas cosas y se rio con esa carcajada rica pero hueca, antes de contestar Claro que no. Lo de Rulfo lo había contado para un grupo de gente –Federico, la Claudia, Lee, Tina– pero después sólo me hablaba a mí. Bailamos. Me contó más. Cuando me estaba explicando su obsesión con los paseos, yo ya había decidido irme con él. A pasear. Es fácil o me pareció fácil entender por qué le gustaba tanto. Era el tono ideal del ensayo pero también de los que te decían a la primera cita Mira yo no quiero tener compromisos. A veces estaba muy bien. Estaba muy bien aquí. Donde la gente venía a rezarles a sus muertos y no tenía prisa; me costaba saber si iban o volvían, si tenían una idea clara de dónde estaba la tumba que buscaban o en realidad iban malacordándose, paseando.

Decidí decidir, adivinar. Iba a mirar a alguien para saber si paseaba o no. ¿Pensar es un paseo? Elegí. Era o me pareció o como ahora sé corrijo el recuerdo y digo muy alto, digo camisa blanca, digo pantalón negro aunque a esa distancia podía haber sido azul obscuro. Lo había elegido y me di cuenta de que había elegido mal, porque de toda la gente –y tampoco era tanta toda la gente– él era el único inmóvil. No parecía haber llegado a donde iba, quizá porque llegar me lo imaginaba yo, con mis rositas en la mano, como pararse cerca de la tumba para dejar que los recuerdos te posean. Para pensar, para dejar que todo duela o quién sabe; a preguntarse dónde se nos fue tanto amor desesperado y si estas dos piedras son todas las ruinas de un futuro demolido, de los juegos inventados de niños con la abuela, si aquí se resumen las fotografías esas donde una de las personas no va a cambiar más nunca.

Pero alto y camisa blanca y pantalón ya definitivamente negro estaba a media calzada así que por un momento consideré, para luego desecharla, la posibilidad de que estuviera perdido. Está mirándome, pensé. Ay ego malayo. Estaba mirándote a ti Santiago.

Era algo tan invisible, tan obvio. Estaba mirándote con tanta intensidad que volviste la cabeza Santiago. En ese momento yo estaba demasiado lejos para oír. Vi cómo girabas levemente la cabeza y al reconocer algo más en alto y camisa blanca y pantalón negro, te volviste por completo, veías algo que yo no alcanzaba a ver, a oír, a reconocer, y te detuviste a dos metros; algo más que me hizo apresurarme sin correr, tratando de no hacer ruido. Estaban parados como si fueran dos duelistas miopes: alto y camisa blanca y pantalón negro y algo más, tú Santiago, de pantalón negro y camisa blanca.

Seguían abrazados cuando llegué. Dos cuerpos. Abrazados.

–Tenemos que cenar –dijo alto.

Santiago dijo que sí.

Fui a cenar con mi hermano, en México. Fuimos juntos en el auto de mi hermano, guardando silencio, lentamente, para que se hiciera de noche, los tres. Mi hermano sonreía. ¿Ya terminaron, ya van a regresar, quieren que compremos un edificio entre los tres, una cuadra entre los tres? Y Kweelen iba en el asiento de adelante junto a él, mirando todo, sobre todo adentro, había bajado el quitasol del parabrisas para tener el espejito de los maquillajes apuntándome. Preguntaba algo y le tocaba la pierna a Raúl, con la punta de los dedos, con el filo de las uñas. ¿Y por allá qué queda, nuestro hotel está por allá, a tu casa por dónde se va?

Íbamos a cenar juntos, Raúl, el hermano de Raúl y la esposa del hermano de Raúl. Sólo que Kweelen no era mi esposa. Pero Kweelen tampoco le quería decir que no era mi esposa, y yo, que entendí de inmediato que Kweelen no quería decírselo, no entendí por qué. Nunca le había contado mucho de mi hermano.

–Los voy a llevar a uno nuevo, que no conoces, los va a impresionar –dijo Raúl, y luego ya sólo dirigiéndose a Kweelen–; que no es fácil porque la verdad me parece que Santiago cocina poca madre, mucho mejor que en la mayoría de los lugares.

–Por lo menos de los que hemos ido, sí –dijo Kweelen.

–Seguro te ha llevado a puras porquerías, éste sí les va a gustar.

Y sí, seguro nos iba a gustar, porque Raúl se las sabía todas, conocía los lugares y las cartas de todos los lugares.

–¿Cuándo regresaste tú Raúl?

–Yo no he regresado, hermanito, no puedo regresar. Pero era importante que ya no estuviera en Los Ángeles, así que cuando regrese a Los Ángeles entro por Canadá, cruzo con la licencia que Luis se sacó en un viaje a Hawai y ya está.

–¿Pero entonces no era más fácil que salieras por Canadá?

–Qué lindo acento tienes.

No habíamos entrado a la ciudad, habíamos tomado una autopista de cuota muy delgada, casi desierta, que pasaba entre páramos y campos de golf.

–Son nuestros nuevos countries –lo pronunció a la argentina.

Raúl la miraba de vez en cuando, esperando que Kweelen no lo mirara, pero si se les encontraban las miradas, ninguno de los dos rehuía.

–Concéntrate en el camino güey.

–No te preocupes, por aquí no va nadie.

–Pues por si las vacas.

Seguimos hacia Toluca. Imaginé si en la cajuelita habría una pistola, una bolsa de tela suave llena de dientes y muelas minuciosa, interminable, aterradoramente trabajados, varias dosis de cocaína, de mmda, de heroína, de metadona o de la mierda que se llevara en estos días. A lo mejor sólo había discos con grabaciones impecables, que Raúl no alcanzaría nunca a agotar.

–¿Por aquí estaban los ladrones que le gustan a Santi?

Kweelen nunca nunca nunca me había dicho Santi.

–¿Los bandidos de Río Frío? No, ésos están de camino a Puebla, hacia el oriente.

Kweelen miró los últimos restos de la puesta de sol.

–Y vamos hacia el norponiente.

¿De dónde sacaba palabras como norponiente?

En las primeras estribaciones del cinturón industrial, nos desviamos hacia el Nevado. No sé si me sorprendió que lo ascendiéramos. Raúl siempre encontraba las cosas antes que yo: él era el que iba a las inauguraciones, a las preinauguraciones; yo en cambio iba a calladas funciones de cineclub, casi de mañana, a volver a ver películas que siempre me hacían llorar. Él tenía libros nuevos firmados por el autor, yo prefería los muy viejos, frágiles, marcados por muchas manos.

–Tengo frío –dijo Kweelen y Raúl sonrió. Ajustó algún invisible control desde el volante y nuestros asientos se entibiaron agradablemente. Para el descenso al cráter, todavía me duraba el calorcito.

En cuanto nos sentamos pidió tequila.

–¿Y esa marca?

–Seguro no hay allá.

–Seguro. Ayer probamos San Emiliano.

Allá la gente iba llevando de dos en dos litros que se tomaba en pequeñísimas cenas. Para las fiestas ibas al Atlante o al León y comprabas lo que hubiera, te agarrabas la wine and liquor que estaba más cerca del metro y veías si tenían algo en rebaja, al tiempo que confiabas que nadie se te fuera a morir o a quedar más idiota.

–Está bueno –dijo Kweelen– pero seguro me hace mal.

–Claro que está bueno y yo te garantizo que no te pasa nada.

–Oye güey ¿no tendrías que estar en mi casa, visitando a Lucio?

–¿Por eso viniste?

–No mames.

–Por eso viniste.

–Teníamos un congreso –dijo Kweelen–, hoy presentamos antes de ir al cementerio pinche Raúl.

–Gracias –le dije en un murmullo.

–De nada Santi.

–Voy al baño –dijo Raúl.

Supuse que a drogarse un poco.

Cuando llegó la sopa —que era cola de buey con hongos y chiles genialmente incorporados— me di cuenta de que Raúl nos miraba con una envidia dulce, como pensando si se había equivocado entre todas sus listas, entre todas sus huidas, en ese coche de hoy que ya no sabía, no iba a saber nunca si se había robado o había rentado en el aeropuerto o alguien le había prestado sin preguntarle nada, for old times' sake o for this time's.

—¿Estás triste? —preguntó Kweelen.

—Sí, está triste.

—No, no estoy triste; ya soy así pero Santiago preferiría pensar que no.

—¿Me vas a contestar? —dije.

—En el postre.

Después de una primera cucharada cauta Kweelen sacó, me parece que de su bolsa, una cuchara grande, japonesa.

—Tailandesa —dijo Raúl y Kweelen lo aprobó— tailandesa, de madera sin barnizar. Voy a sugerírsela al dueño.

La tomó delicadamente de la mano de Kweelen y la hundió en su propia sopa para pescar expertamente un hongo, una coronita de chile y una buena cantidad de líquido. Tras comerlo, dijo algo que yo no comprendí, un puro ruido de placer exagerado, pensé, pero que hizo que Kweelen sonriera mucho, con los ojos.

—Algo se aprende en Los Ángeles hermano.

Luego le devolvió la cuchara a Kweelen que la usó aplicadamente para comerse casi la mitad de su sopa antes de decir:

—Cuando era chica un muchacho en mi salón me regaló una cajita de papel.

Raúl había pedido pescado y carne para todos. Para todos el mismo pescado y la misma carne. Los señaló en el menú y el mesero no los mencionó al anotarlos. A lo mejor eso había ido a hacer, además de drogarse.

Con el pescado pidió un vino blanco sudafricano que ya reposaba en una hielera sin hielos que funcionaba de algún modo que no logré adivinar. Raúl nos sirvió un sorbo a cada quien.

—Cuando terminó el apartheid, replantaron toda la cepa y les ha salido extraordinario. ¿No? —la pregunta, desde luego, era retórica.

—¿Replantaron para celebrar el fin del apartheid?

—Nos estabas contando de la caja.

Mi hermano se parecía al que había sido cuando fuimos niños y a ése en el que se había convertido cuando creció y al hombre desesperado y violento al que había huido cuando la vida se nos abrió con su verdad y yo resistí y él no.

—La caja tenía una puertita corrediza y pesaba.

—¿Quieres escoger el tinto? —le preguntó a Kweelen.

—Me daría miedo echar a perder la comida.

—No te preocupes, seguro ya lo pidió y lo tienen respirando desde el final de la sopa.

—Cómo amargas Santiago.

—Sí pinche Santiago —dijo Kweelen riendo.

Al final naturalmente fue Raúl quien pidió el vino tinto que el sommelier elevó de la cava, descorchó y colocó en una repisa equidistante a la chimenea y a la ventada abierta hacia el lago con el agua casi inmóvil, a punto de congelarse pero no, no aún.

El silencioso mesero nos trajo el pescado y, aún sin probarlo, sin haber hollado siquiera la pasta hojaldrada que lo cubría, Keewlen lo reconoció.

—¿Hay palabra en español para pike? —preguntó Raúl.

—Lucio —dijo Kweelen expertamente.

Levanté mi copa de blanco sudafricano y después de brindar por Nelson Mandela y por Coetzee me la bebí completa.

Raúl comía con un apetito salvaje y modales exquisitos, una de sus técnicas de seducción. No era algo estudiado sino aprendido, como solía aprenderlo todo. Sobreoyéndolo, bastaba con que las cosas lo rozaran. En la escuela los maestros se habían cansado de tratar de sorprenderlo; en lo más lejano de su distracción podía resolver ecuaciones, recordar fechas, escribir versos afortunados, ingeniosos, pero nunca hondos, quiero pensar que nunca hondos.

—No tienes hoyitos en los oídos.

—No.

—Naciste en esos años progres.

—No, no es eso. Hacen daño —dijo Kweelen—. ¿Saben por qué pesaba la caja?

—No, nunca me lo has contado.

—Me dijo el gordito que me la dio que dentro vivía una araña, que por eso tenía la puerta corrediza, para darle de comer.

—¿Y qué se le daba de comer?

—Catarinas.

—Los traen de Minnesota vivos y los echan al lago en vez de congelarlos. Por alguna razón, se niegan a alimentarse aquí, por eso se les aprieta un poco la carne —dijo Raúl, antes de comer el último trozo de su pescado.

Le había pedido al mesero que lavaran la cuchara de Kweelen sin usar jabón, con la arena del cráter y agua fría. Había ordenado que me rellenaran la copa un par de veces, había pedido que nos trajeran el tinto a la mesa para poder examinar la etiqueta.

Era un Château Margaux como de un mes de nuestros sueldos. Y por supuesto había respirado lo suficiente. Mi hermano se parecía al que era antes pero también tenía otra calma, como si finalmente se hubiera cansado.

Mi hermano era de la escuela ortodoxa. Sangre rigurosa. Dijo bleu en francés irreprochable.

Afuera se adensaba el frío, el mundo se asentaba en la forma definitiva de su reposo nocturno. Adentro, los olores del confort nos cobijaban. No era necesario volar hasta los Alpes. Aunque posiblemente hubiera sido más barato que esta cuenta. ¿Quiénes eran el resto de los comensales? ¿Los nuevos dueños del país? ¿Salvajes sin escrúpulos pero con paladares refinados? ¿Los verdaderos hermanos de Raúl?

–¿Y tenía una araña la caja?

–No se podía ver, abrías la puertita y sólo se veía que adentro había otra caja más chica pero si te la ponías en la palma de la mano te pesaba el miedo.

Pensé que Raúl y Kweelen hubieran sido felices. Se gustaban. Quise pensar que no sentí celos. Porque Kweelen no era Ana.

Nos retiraron los platos del pescado. El mesero hizo una pausa en la que el sommelier decantó el vino para que se acabara de abrir. Trajeron la carne.

–¿Y cómo está Lucio?

–Igual que aquí, con mil novias.

–Se está portando mejor –dijo Kweelen.

–Todos envejecemos, qué se le va a hacer.

Miré las caras. No reconocí lo que pensé que serían las caras del narco, de la política crasa, de la pujante aristocracia católica. Eran hombres y mujeres que miraban el fuego de la chimenea y bebían su vino a sorbos y reían. Era notable la cantidad de gente que reía en las otras mesas.

–Por Proust y por Berl –dije antes de desaparecer varios salarios mínimos de tinto como si fueran el más azul de los sabores de gatorade.

–El vino merecía más.

–Sí pero como no quieres contestar cuando te pregunto, te lo ganaste.

Comí un par de bocados de carne sangrienta y dejé el tenedor y el cuchillo sobre el plato para concentrarme en el margaux, en Kweelen y Raúl, en el lago que, en medio de la noche reciente, brillaba.

–¿Todavía bucean aquí?

–No, el restaurante logró establecer que las inmersiones estaban cambiando el grado de saturación de oxígeno y matando a las especies endogámicas.

–Pero echan a sus lucios. Carajo.

Kweelen me puso la mano en la nuca y me acarició hasta bien abajo, sorteándome la camisa y, al tacto, me di cuenta de que traía puesto un anillo.

Un siglo y un año después, vi que era el anillo que me había regalado mi amiga Lilia el último día que nos habíamos visto, tras la presentación de Cielo, cuando yo estaba por salir al doctorado y ella me confesó su enfermedad incurable.

Fui al baño y logré no vomitar. Me quedé sentando un largo rato sobre el excusado, luego me empapé la cara y las manos con agua helada y fui a secarme frente a la chimenea.

Cuando regresé Kweelen y Raúl se habían terminado todo y habían retirado mi plato. Aún nos quedaba una copa de la segunda botella de Margaux a cada quien. El garrotero se llevó los platos vacíos pero el mesero no se acercó.

–Se supone que la otra caja, la de adentro, tenía una abertura que daba al otro lado, al opuesto del de la puertita corrediza y por allí cazaba la araña a sus catarinas. El gordo naturalmente no tenía amigos y por eso le gustaba yo; la que venía de fuera, la que prefería hacer muñecos de barro a salir a comprarse ropa.

Le acaricié la mano. Nos callamos un poquito los tres.

Pensé que hubiéramos sido felices. Que mi vida, mis microciudades serían otras pero que algo hondo hubiera permanecido igual. Con ella también hubiera podido ser bueno.

–¿Y entonces había araña?

–El gordito me llevó a una esquina y me dijo No dejes de mirar.

–¿Qué tenías que ver?

–La luz; ese señorcito que te muestra cuándo cruzar. Era raro porque estaba en cruzar y nosotros seguíamos parados, nomás viéndolo.

–¿Le diste besos al gordito?

–Primero dinos de la araña.

El restaurante estaba en el fondo del cráter, junto al lago. Tenía una chimenea encendida. En la parte de afuera de los vidrios ya se pegaban cristalitos de hielo. Era otro país. Quizás eso era lo que le gustaba a Raúl.

–Cuando cambió la luz y el señor rojo se prendió, iluminó una telaraña sin araña.

Para el postre Raúl pidió fondue de chocolate. Una obviedad. Pero la verdad es que no podías creerlo.

–El chocolate lo traje yo –dijo.

–Es el belga del tren.

–A huevo güey. ¿Te da gusto?

–Sí.

–¿Te da gusto verme?

–Sí.

–¿Quieres que te diga por qué no estoy visitando a Lucio?

–Sí.

–Porque no me invitó.

–Porque no te invitó –repetí yo como el pendejo que he sido siempre.

Tomamos café y coñac. Aunque yo preferí optar por brandy español.

–Es un capricho –le dijo Raúl a Kweelen– pero siempre se debe de respetar el capricho de los grandes chefs.

–Pendejo.

–Si se puede hacer capricho, quiero un armagnac.

Afuera empezó a nevar en serio. Kweelen se caía de sueño pero estaba contenta. Bebimos un poco más en silencio. La luz eléctrica estaba al mínimo, casi la única fuente luminosa era la chimenea, que había bajado de intensidad. Y, como poniéndose de acuerdo, la gente sólo murmuraba.

No recuerdo el momento en que Raúl pagó la cuenta. Sólo, ya afuera, mis zapatos sobre la nieve. Ese otro país.

–Suban ustedes, yo quiero tomarles una foto.

Del fondo del cráter escalaba al estacionamiento lentamente, interminablemente, cansinamente la escalera mecánica más larga del mundo, entre la nieve. Con pasitos lentos, lastrados por la comida y los alcoholes que acompañaron la comida, Raúl y yo nos fuimos acercando, entre nieve nueva, bajo la noche donde el lago brillaba con sus lucios, congelándose y sin comer. Y pensé que así era llegar cuando pisé el primero de los escalones metálicos.

Allí, en la escalera mecánica más larga del mundo, como dos novios, Raúl y yo nos abrazamos y sonreímos para Kweelen con su camarita y su pelo muy negro y su cajita blanca con una puerta corrediza y una araña.

–Cabrón, Kay y Miguel no se van a separar. Ni ahora ni nunca.

–Chinga tu madre.

Kweelen se alejaba y se alejaba, rítmicamente, imperceptiblemente, oníricamente.

–Y Lucio te dijo que yo iba para que huyeras y poder cogerse a tu esposa. Se la está cogiendo ahora mismo, se la va a seguir cogiendo mientras sigas aquí y después también, aunque vuelvas, aunque ustedes dos no se divorcien, aunque no te cuente nada o si te lo cuenta y te pide perdón, van a seguir cogiendo.

Y por un momento, el de la fotografía, se me perdieron las piernas y Raúl, mi hermano, me sostuvo.

E yo, como estava solo, syn conpañía,
Codiçiaba tener lo que otro para sy tenía
–Arcipreste de Hita

Fotocomposición: Logos Editores
Impresión: Litográfica Ingramex S.A. de C.V.
Centeno 162-1, Col. Granjas Esmeralda
México, D.F. 09810
15-IV-2008